KB103778

일러두기

- 이 책은 자그마한 책방에서 운영하는 〈군불글쓰기〉에
  참여했던 8명의 글동무들이 쓴 이야기입니다. 8권의
  책을 편집하듯, 8명의 소중한 이야기를 독립적으로 구
  성했습니다. 책을 읽어나가는데 도움이 되면 좋겠습니
  다.

- 서체는 '넥슨배찌체'를 사용했습니다. 따뜻한 서체를
  무료로 제공해 준 (주)넥슨코리아에 감사드립니다.

나는 미세한 흔들림으로 산다

나는 미세한 흔들림으로 산다.

발   행 | 2024년 7월 25일
저   자 | 정화, 충만, 바람결, 붕어빵, 해바라기, 민들레, 샘물, 봉숭아
편집자 | 지금

펴낸이 | 한건희
펴낸곳 | 주식회사 부크크
출판사등록 | 2014.07.15.(제2014-16호)
주   소 | 서울특별시 금천구 가산디지털1로 119 SK트윈타워 A동 305호
전   화 | 1670-8316
이메일 | info@bookk.co.kr

ISBN | 979-11-410-9404-1

www.bookk.co.kr
나는 미세한 흔들림으로 산다. 2024

나는 미세한 흔들림으로 산다

정화
충만
바람결
붕어빵
해바라기
민들레
샘물
봉숭아

BOOKK

설산

앞서서 걸어간 발자국이 없다.

그래서 나아가야 할 방향이 보이지 않는다. 내가 할 수 있는 최선은 사방을 두리번거리고 큰 나무가 있는 쪽을 보고 걷는다. 자라나는 작은 나무는 부러지지 않게 조심히 한 걸음 한 걸음 내디딘다. 다른 사람들이 길을 잘못 들지 않도록 지나온 발걸음을 지워야 할 때도 있다는 것을 배운다.

아름다움에 매료되어 멈춘다. 겨울에만 볼 수 있는 설산을 눈에 담는 중이다. 걷고 멈추고 눈에 담고, 걷고 멈추고 눈에 담는다. 이제는 눈이 내리지 않아도 설산을 볼 수 있을 것 같다.

지나온 길을 돌아본다. 생각보다 멀리 걸어온 발자국을 발견한다. 흐뭇한 미소가 새어 나온다.

설산의 아름다움을 보았고, 나의 발자국을 남겼다. 순간 압도감을 느낀다. 발자국으로는 설산을 담을 수 없다. 나는 결코 설산을 알 수 없다. 그저 몇 발자국만 남길 뿐이다.

겨울이 왔기에,
눈이 내렸고,
비로소 설산을 볼 수 있었다.

용기를 내어 주었기에,
이야기를 들을 수 있었고,
비로소 글동무들을 볼 수 있었다.

세월이 흘러 설산의 풍광이 아득해질 때쯤 찾아볼 수 있는 책이 있어 마음 한편이 놓인다. 행간에 숨은 합평의 시간이 다시금 선명해질 그날을 기다린다.

- 샘물, 정화, 충만, 바람결, 붕어빵, 해바라기, 민들레, 봉숭아 -

차례

미운 오리 새끼 연대기(年代記)

- 정화

혼자서 연탄불을 피우고
잔잔한 음악과 사랑시
타닥타닥 군밤 익어 가는 소리만 들리는
겨울밤 낭만 속에
입 주위가 까맣게 되도록
원 없이 군밤을 구워 먹었다.(23쪽)

사람을 이정표 삼아

어디로 가고 있는지
물어본 적이 있었던가?
나는 무엇을 좋아하고 싫어하는지
기쁜지 슬픈지
외로운지 행복한지
스스로에게 묻고 답하기 위해 글을 쓴다.

글을 쓴다는 것은 지난날에 나를 만나는 것이다.
또한 내가 알지 못하는 나를 찾아가는 여정이다.
가벼운 마음으로 조심스럽게 한 발을 내딛는다.

길이 있을 때도 있고
없을 때도 있겠지만
사람을 이정표 삼아
나라는 세계를 여행한다.
나의 글은 내 삶의 이정표가 될 것이다.

나는 한때 무림 고수였다

아버지의 손에 이끌려 체육관에 처음 갔다. 그때는 태권도를 배우기보다 그냥 놀러 갔던 기억들만 있다. 하지만 뭔지 모를 운동에 대한 자신감만 가득 채워 놓은 시기였다. 그렇게 초등학교 시절은 이런저런 운동, 스포츠 만화, 무협 만화에 푹 빠져서 지냈다.

초등학교를 졸업하고 여자들만 있는 중학교에 입학했다. 중학생이 되어서 그랬는지 만화책에서 영화로 관심사가 바뀌었다. 홍콩 영화가 붐을 이루던 시절이라 자연스럽게 또 빠져들었다. 성룡, 원표, 홍금보 주연의 코믹 액션과 취권, 소림사 영화, 멋있는 꼬마들이 나오는 호소자 시리즈, 뭐 이런 류의 영화를 좋아하게 되었다. 하늘을 나르고, 장풍을 쏘고, 화려한 권법으로 악당을 물리치는 무림 고수들의 모습을 보며 나도 무림 고수가 될 수 있지 않을까 하는 생각을 가지게 되었다.

그래서 아버지에게 쿵후 체육관을 보내달라고 했다. 아버지는 이제 여중생이 되었으니 남자들만 배우는 그런 위험한 운동은 하지 말라고 반대하셨다. 그렇다고 물러날 내가 아니다. 다시 한번 아버지께 말씀드렸다. 여중생이 되었으니 더 자신의 몸을 보호하기 위해 호신술 같은 것을 배워야 한다고 아버지를 설득했다.

내가 사는 곳에는 단 두 곳에 쿵후 체육관이 있었다. 소림관과 정무관이다. 소림관은 소림사 승려들이 수행으로 주로 하는 쿵후를 한다고 해서 왠지 머리를 빡빡 깎아야 할 듯한 생각이 들었다. 그래서 이소룡 주연의 〈정무문〉 영화도 생각나고 해서 정무관으로 정하고 관장님을 뵈러 체육관을 찾아갔다.

체육관은 2층에 있었다. 멀리서도 기합 소리가 우렁차게 들렸다. 떨리는 마음으로 체육관 문을 열었다. 그때의 느낌은 꼭 흑백사진을 보는 듯했다. 검정 도복을 입은 까까머리 남학생들과 흰 비단옷을 입은 사범님의 모습이 대비되며 너무 멋있어 보였다. 그때 갑자기 기합 소리가 멈추며 모두의 시선이 나에게 쏠렸다.

그렇게 쿵후가 내 삶에 들어왔다.

학교를 마치면 바로 체육관으로 갔다. 여자 관원은 내가 유일했기 때문에 탈의실이나 화장실을 같이 써야 해서 불편했지만 쿵후에 푹 빠져버린 나는 그것도 별문제가 되지 않았다. 초등학교 때 태권도를 배웠기 때문에 체육관 생활은 익숙했다.

하지만 태권도처럼 띠로 구분하는 것이 아니라 권법을 하나씩 마스터하는 것으로 승단 시험을 치르는 시스템이었다. 쿵후는 장권과 남권 그리고 병장기인 도술, 검술, 곤술, 창술, 대련으로 이루어져 있다. 장권은 북방 무술로 화려하고 가볍게 쭉쭉 뻗는 시원스러운 동작으로 인해 쿵후(우슈)의 꽃이라고 불린다. 사권, 화권, 소림권 등이 있다. 남권은 장권과 비교해 주먹 위주의 강한 공격이 특징이며 보법이 투박하고 손기술이 무척 다양해서 근접 전에 강한 무술이다.

영춘권을 구사한 이소룡의 무술이 남권이다. 손끝 단련 (철 사장 같은), 손등 단련, 다리 일자 찢기를 기본으로 영화에서 본 것과 비슷한 동작을 하나씩 배워갈 때마다 무림 고수가 된 나를 상상하며 힘겨운 운동을 참았다.

그렇게 6개월쯤 되었을 때 학교에서 봄소풍을 가게 되었다. 반별 대항으로 장기 자랑에 나갈 사람을 뽑았다. 친구들이 나를 추천했다. 수업 시간에 어쩌다 부른 이문세의 '붉은 노을' 때문이었다. 잘 부른 게 아닌데 그냥 고래고래 소리만 질렀는데도 좋았나 보다.

어쩔 수 없이 내가 반 대표로 장기 자랑에 나가게 되었다. 그런데 다른 반에서도 노래와 춤으로 장기 자랑을 한다는 소문이 들렸다. 난 춤을 못 춘다. 물론 노래도 잘 못한다. 그냥 목청이 클 뿐이다. 뭔가 새로운 걸 해야 이길 것 같은 생각에 승부욕이 발동했다. 그래서 쿵후 시범을 보여야겠다고 계획을 수정하고 소풍날까지 피나는 수련을 했다.

소풍날 아침 칼주름으로 빨간 도복을 다려 가방에 넣고 무림의 은둔 고수처럼 소풍 장소로 갔다.

드디어 각 반별 장기 자랑이 시작되었다. 앞 반 친구들이 신나는 노래를 부를 때 난 조용히 일어나 화장실로 가서 빨간 도복으로 갈 아입고 나왔다. 다른 학교에서도 같은 곳으로 소풍을 왔기 때문에 사람들이 많았다.

내가 화장실을 나와 우리 학교 장기 자랑 하는 곳까지 걸어오 는데 썰물처럼 사람들이 길을 터줬다.

드디어 내 차례가 왔다. 사방이 쥐 죽은 듯 고요해지고 모든 시 선이 나에게 쏠렸다.

심호흡을 한 번 하고 주먹과 손바닥을 마주 대며 '정무' 하며 시 작 인사를 했다. '와' 하고 박수가 나왔다. 무엇에 홀린 듯 권법 자세를 펼치기 시작했다. 뒤로 돌아서 날듯이 발차기, 팔을 풍차 돌 리 듯하며 다리 차기, 손 안 짚고 옆돌기, 장풍을 모으듯 손을 모았다 주먹을 찌르며 '훅' 하고 기합 넣기(이것은 입에서 나는 소리가 아 니라 주먹이 바람을 가르는 소리) 등 내가 아는 멋있는 동작은 다 했다.

그렇게 나의 쿵후 시범이 끝났다. 원래는 평범한 모습에 숨겨진 힘을 가진 무림 고수가 되고 싶었는데 시끌벅적하게 천하(중학교)를 평정한 무림 고수가 되었다.

어쨌든 나는 한때 무림 고수였다.

낭만적인 사업가

처음으로 집을 나와 자취를 했다. 부모님이 없는 자유를 만끽하며 지냈다. 단지 힘든 것이 있다면 밥을 직접 해 먹어야 한다는 것뿐이었다. 자취를 하니 생활비를 받아서 쓰고 남는 것으로 용돈을 써야 했다.

늘 돈이 모자랐다.

곧 겨울방학이 다가오는데 친구들이랑 여행을 가려면 돈이 필요했다. 돈을 벌어야 한다. 뭘 해서 돈을 벌 수 있을까? 몇 날을 고민했다. 미성년자라 알바는 구하는 데가 없고 구한다 해도 한 달을 일해야 돈을 받으니 할 수가 없다. 단기간에 돈을 벌 수 있는 것을 해야 한다.

장사밖에 없었다.

그럼 무슨 장사를 할 수 있을까? 뭘 팔 수 있을까? 어디서 팔까? 돈도 벌고 좀 멋있는 경험도 할 수 있는 건 없을까? 단지 장사꾼이 아니라 사업가적인 마인드로 접근하자. 여고생, 겨울, 낭만, 따뜻함, 멋짐, 첫눈, 유머, 사랑, 돈보다 경험 이런 단어들이 마구

머릿속을 맴돌았다.

　낭만적인 사업가가 되고 싶었다.

　추우니까 따뜻한 것을 팔아야겠다. 군고구마, 군밤, 붕어빵, 계란빵, 어묵..... 초기 투자 비용이 적게 들고 내가 좋아하는 군밤을 팔아보자. 결심이 서자 바로 실행해 옮겼다. 시장에 있는 철물점에 가서 연탄 화덕과 석쇠 하나를 샀다. 밤도 4kg이나 샀다. 재료는 준비됐다.

　이제 군밤 장수를 위한 준비가 남았다. 옷은 어떤 걸 입을까? 음악도 있어야겠지? 어떤 노래를 틀까? 군밤은 어디에 담아줄까? 아! 낭만적인 사업가가 되기 위한 준비가 더 많다. 상상만으로도 너무 신나는 하루하루를 보내며 겨울방학을 기다렸다.

　가사 시간에 겨울용 목도리와 모자를 뜨는 실습이 있었다. 파란색 털실과 빨간색 털실을 사서 삐뚤빼뚤 서툴게 파란 모자에 빨간 수술이 달린 모자를 만들었다. 뜨개질을 못 해 거의 다 언니가 해주었다. 이쁘게 완성된 나의 파란색 모자가 무척 마음에 들었다. 흰색 패딩에 파란색이 괜히 좋았다.

　음악은 뭘로 할까? 군밤과 클래식 모짜르트, 베토벤, 바흐, 쇼팽..... 테이프 살 돈이 없다. 그냥 인기가요 테이프가 있으니 신나는 곡으로 하자.

군밤 봉지는 뭘로 하지? 그냥 신문지에 둘둘 말아서 주던데 그렇게 할까? 아니지 난 낭만적인 군밤 장수니까 그럴 순 없다. 하얀색 종이에 그림은 못 그리니까 시를 적어서 주면 좋겠다. 집에 있는 시집을 몽땅 뒤져서 달달한 사랑 시 위주로 종이에 옮겨 적었다.

드디어 D-day

혼자는 괜히 쑥스러워서 친구에게 같이 있어 달라고 부탁했다. 장소는 시내 극장 앞 대로변에서 하면 된다. 노점상이라 가게 주인들이 싫어할 거 같으니까 잽싸게 극장 상영시간에 맞춰 팔고 와야겠다. 도착하면 바로 구워서 팔 수 있게 연탄불을 피워서 출발해야 한다. 번개탄을 사 와서 연탄불을 피우고 친구를 기다렸다.

그런데 친구가 연락 두절이다. 시간이 얼마 없다. 혼자라도 출발해야 한다.

연탄 화덕 밑에 작은 바퀴가 있어서 시내까지 끌고 가면 된다. 자전거 뒤 안장과 화덕을 철사로 묶고 출발했다. 연탄 화덕 밑의 바퀴가 너무 작아서 조그만 턱만 있어도 기우뚱 넘어지려고 해서 자전거를 타지 못하고 끌고 갔다. 화덕은 자꾸만 기우뚱기우뚱 넘어지려고 한다. 100 미터 가는 데 10분이 걸렸다. 화덕을 자전거 안장 위에 실으려고 하니 불 피운 지 오래되어서 그런지 연탄의 불꽃이 빨갛게 변해있었다. 너무 뜨거워 손을 댈 수가 없었다.

 겨울바람이 세차게 부는 날이었는데도 내 이마에는 땀방울이
송골송골 맺혔다.

 자전거 뒤에 매달린 화덕은 벌겋게 타오르고 시내 영화관까지의
거리는 너무 멀었다. 계속 갈 것인지 집으로 돌아갈 것인지 고민이
많이 됐다. 이 속도로 간다면 시내에 도착하기 전에 연탄불이 수명
을 다할 것 같았다. 불을 피우고 출발하는 게 아니었는데 후회가 되
었다. 훗날을 기약하며 눈물을 머금고 돌아왔다. 빨갛게 타오른 화
덕 때문에 너무 힘들어서 집에 와서 뻗어버렸다.

 내 겨울 생활비를 다 털어서 산 연탄 화덕과 알밤이 눈앞에
있다.

 혼자서 연탄불을 피우고
 잔잔한 음악과 사랑시
 타닥타닥 군밤 익어 가는 소리만 들리는
 겨울밤 낭만 속에
 입 주위가 까맣게 되도록
 원 없이 군밤을 구워 먹었다.

그리스에서 로맨스는 어떨까?

가볍게 배낭 하나 메고 지구별을 여행한 지도 100일이 넘었다.

올해로 60살이 되었다. 나이로 인해 삶에서 놓지 못했던 일들을 내려놓을 수 있는 여유가 생긴다. 쳇바퀴 돌듯 늘 익숙한 곳에서의 삶이 지루해졌다. 낯선 곳에서 홀로 존재하는 것, 심장이 요동치는 이 느낌이 두려움 때문인지 설렘 때문인지 모르지만 맥박이 빨라지며 몸에 힘이 들어가고 얼굴은 붉게 상기된다.

지금은 그리스 아테네 공항에서 비행기를 기다린다. 다음 목적지는 그리스에서도 가장 큰 섬 크레타로 간다. 제주도보다 4배 이상으로 큰 섬으로 고대의 유물들과 눈부시게 아름다운 에게해 해변이 있는 곳이다. 비행기를 타고 50분 후 하니아 공항에 내려서 공항택시를 타고 파스텔톤의 그림 같은 건물이 둘러싸여 있는 작고 아담한 숙소에 짐을 푼다.

흰색 커튼이 바람에 날리며 햇살이 비춰 슬며시 눈이 떠진다. 침대에 누워 가볍게 스트레칭을 한다. 커피포트에 물을 끓이고 욕실에 들어가서 시원한 물에 세수를 하고 나온다. 흰 티셔츠와 반바지를 챙겨 입고 찻잔에 허브차를 우려낸다. 코가 시원해지는 민트향이 난다. 따뜻한 차 한잔을 마시며 열린 창문으로 들어오는 시원한 바람을 느낀다.

지중해 기후라서 그런지 매일 맑은 날이다.

낯선 듯 익숙한 하루의 일과를 시작한다. 바닥에 편안하게 앉아 요가 호흡 명상을 한다. 나디 소다나(nadi shodhana)-교호 호흡으로 오른쪽, 왼쪽 콧구멍을 교대로 막아서 균형을 맞춰주는 호흡법이다. 호흡이 끝난 후 수리야 나마스카라 (Surya namaskara, 태양 경배) A를 한다. 태양경배자세는 절에서 하는 108배 같은 동작으로 경직된 몸을 유연하게 데운다.

현관 앞에서 산뜻한 주황색 운동화를 찾아 신고 선글라스를 쓴다. 대문을 나서자 울퉁불퉁한 돌로 된 골목길에 하얗고, 노랗고, 파란 담장에는 분홍색 꽃들이 앞다투어 피어 있다. 늦은 밤 숙소에 도착해서 보지 못한 풍경이라 설렘 가득한 발걸음으로 천천히 달린다. 동네 구경도 할 겸 해서 해변으로 가지 않고 좁은 골목길을 두리번거리며 달린다. 작은 식료품 가게, 빵 가게, 카페, 작은 책방도 보이고 노란색 2층 집 테라스에 빨래도 정겹다. 언뜻언뜻 파란색 바다가 보인다. 이제 몸도 좀 풀린듯하니 달리는 속도를 올려본다. 해변가에 쭉 늘어선 노천카페와 흰색 파라솔이 있다. 에메랄드빛 바다가 보이고 벌써 바다에서 수영하는 사람들이 있다.

파도 소리에 리듬과 내 발걸음에 리듬을 맞춰가며 해변 산책로를 달린다. 콧등에서 선글라스가 자꾸만 흘러내린다. 땀이 나서인지 콧대가 낮아서인지 알 수 없지만 괜히 성형수술을 해야 하나? 하는 이상한 생각을 하며 해변의 연인을 본다.

'그리스에서 로맨스는 어떨까?'

흐흐흐 달리기를 오래 한 덕분인지 온갖 생각이 수시로 들어온다. 태양이 점점 뜨겁게 느껴진다. 신발과 선글라스를 벗어 던지고 얼른 나도 바다로 뛰어든다. 아! 시원하다. 파도에 내 몸을 맡기며 천천히 발을 찬다. 내가 이러려고 수영을 배웠지 괜히 뿌듯하다.

땀도 다 식혔고 노천카페에 앉아 크레타에서만 먹을 수 있는 아침 식사인 부가차와 커피를 시킨다. 부가차는 바삭한 페이스트리 안에 염소 치즈를 넣어 만든 것으로 설탕과 시나몬을 뿌려 먹는다. 청량한 바다색과 흰 모래사장, 구름 한 점 없는 하늘 이렇게 눈부신 푸르름이 있을까 생각한다.

식사를 마치고 숙소로 돌아오는 길에 작은 책방에 들른다. 천장을 향한 뾰족한 세모 모서리까지 빼곡하게 책이 가득 차 있다. 나무로 만든 와인 상자에 책들이 담겨 있다. 책에서 와인 향이 날 것 같다. 크레타섬이 고향인 니코스 카잔차키스의 책을 고른다. 〈그리스인 조르바〉 원서 읽기 모임을 시작한 지 3년밖에 되지 않아 어렵겠지만 낯선 곳을 여행하는 것처럼 다른 나라 언어를 배우는 것도 신나는 경험이다.

크레타섬에서 한 달을 보내고 다음엔 지중해 건너 이집트로 간다. 하루의 대부분을 경이로운 자연을 보고 사진을 찍고 책을 읽고 글을 쓴다. 1년 동안의 여행이 끝나면 나의 여행기를 포토에세이로 써서 책을 내고 사진 전시회를 열어야겠다.

그때쯤이면 1000권 책 읽기도 끝나가겠지. 그리고 또다시 긴 여행을 준비하며 설렐 것이다.

에필로그

　　10년, 20년, 30년 전에 나를 찾아본다. 사소한 일상의 경험들이 쌓여 추억이 되고 내가 되었다. 나이가 든다는 건 미세한 흔들림을 알아차릴 수 있는 내공이 생기는 것이다. 이런 일상의 흔들림이 가슴 뛰는 설렘이 되고 가끔 두렵기도 하지만 늘 흔들리는 가벼움으로 살고 싶다.

한눈 팔며 살아볼래요

- 충만

새싹이 올라와 영롱한 빛을 자랑하는 초목의 계절에 떠날 수 있어 좋다. 가족과 형제들, 많지 않은 친구들을 초대하고 마지막 인사를 나누는 시간을 가졌다. 긴 인생 참으로 행복하게 살았다. 천상병 시인이 <귀천>에서 노래한 것처럼 '아름다운 소풍'을 자발적으로 끝낼 수 있어 더욱 행복하다. (42쪽)

'충만'으로 살기

인류가 자연에 이름 붙이기를 하듯이 '지금'님의 이름 붙이기는 너무나 자연스럽다. '지금 니 생각 중이야'에서 진행하는 '묵언 책 읽기'에 참여할 때 나는 '저 야트막한 언덕 같은 산 너머에 살고 있는 사람'이었다. 그런 나를 '충만'이라 이름 붙여 주었다. 특별한 욕심이 없고 하고자 하는 의지도 강하지 않은 나라서 현재에 만족하면서 살고 있는 줄 알았는데 '충만'이라 명명되고 나서 되돌아보니 내 삶은 충만함으로 가득했다.

육 남매의 막내로 태어나 할머니와 부모님, 다섯 형제의 사랑을 듬뿍 받고 자라왔다는 걸 글을 쓰면서 알게 되었다. 초등학교 6학년 담임 선생님을 보면서 꿈꾸었던 일을 실현할 수 있었던 것도 가족의 든든한 지원이 있어 가능했다. 적당한 나이에 사랑하는 사람을 만나 가정을 이루고, 사랑스러운 아이를 키우면서 나도 성장할 수 있었던 것도 엄마와 언니의 도움이 컸다. 꿈꾸었던 일에 푹 빠져서 30여 년을 한 우물을 팔 수 있었던 것은 남편의 조언과 배려가 큰 힘이 되었다.

지나온 내 삶이 충만함으로 가득하다는 것을 확인할 수 있었던 것은 글쓰기 덕분이다. 나와는 거리가 먼 행위로만 생각하고 있었던 것을 끝까지 해낼 수 있게 도움을 준 글동무들이 참으로 고맙다. '지금 니 생각 중이야'와 연결된 삶을 경험할 수 있었던 것은 '지금'님과의 인연 덕분이다. 그 인연을 맺게 해준 '경주독서모임'에도 감사의 뜻을 전하고 싶다.

'충만'으로서의 삶이 나의 삶으로 확장하기를 바라며 그 첫걸음을 내딛는다.

그 해

각자의 집으로 들어가는 것이 싫었다.

나의 아버지는 막내딸의 짝을 빨리 맞춰주고 싶어서 서둘렀다. 그의 아버지는 아들에 대한 믿음이 강하신 분이라, 아들이 데려오는 아가씨가 마냥 착해 보여서 허락하셨다. 그가 1년간 다니던 회사를 그만두고 이직 준비를 하고 있었지만 그건 문제가 되지 않았다. 둘이서 시작할 수 있는 방 한 칸을 얻기 위해 경주 여기저기를 돌아다녔지만, 마땅한 곳이 없어 살림살이 넣을 방도 얻지 않은 상태로 결혼식을 올렸다. 보름 만에 남편이 인천에서 직장생활을 시작하게 되었다.

매일 같이 있고 싶어서 한 결혼인데, 보름 만에 어그러졌다.

친정에 남는 방 한 칸에다 신혼살림을 넣었다. 좁은 시골 방에 장롱, 오디오, 텔레비젼, 책장 그 많은 살림을 넣고 나니 둘이 누울 공간만 남았다. 토요일 저녁 무렵이면 만나고, 일요일 저녁이면 헤어지는 생활을 시작했다. 그렇게 각자의 일에 충실하면서 결혼생활을 했다.

그러던 그해 시월에 한 사내아이가 내 삶 속으로 들어왔다.

그 순간을 잊을 수가 없다. 멀리 있는 남편 대신 친정엄마와 단 둘이 한밤중에 응급실로 향했다. 두려움이 앞서는 마음으로 분만실에 들어가서 아이를 만나기 위한 과정을 거치면서 오직 건강한 아이를 만날 수 있기만을 바랐다. 아이의 울음소리가 분만실을 채우고
"손가락 10개, 발가락 10개 건강한 왕자님입니다."
라는 간호사의 말을 들으면서 아이를 품에 안았을 때, 나는 모든 것에 감사했다. 신이 존재한다면 신의 위대함을 찬양하고 싶었다. 그렇게 한 아이와 함께하는 삶이 시작되었다.

퇴근 후 피곤함도 잊고 아이와 함께 하는 나를 보면서
"애가 애를 키우는구나"
라고 하시는 아버지의 말씀에 안쓰러움과 흐뭇함이 함께 하고 있다는 것을 그때는 몰랐다. 친정에서 생활하면서 아버지가 술에 의지해서 하루하루를 보내시는 것을 가까이서 보게 되었다. 결혼 전에는 떠나고 싶었던 순간들이었는데, 어쩔 수 없이 지속하게 되는 시간들이었다. 그때는 미처 아버지를 이해하지 못했기에 무작정 말리기만 하고, 바쁘다는 핑계로 아버지의 이야기를 들어드리지 못하는 딸이었다.

그러던 그해 십이월의 막바지에 아버지가 떠나셨다.

알코올로 몸이 상하면 일주일 정도 병원 치료를 받고 돌아오시기를 여러 차례 반복하셨기에, 그때도 치료받고 돌아오실 것이라 생각했다. 하지만, 12월 24일 깊은 밤에 앰뷸런스를 타고 돌아오셨고, 아버지가 생활하시던 안방 윗목에서 가족의 배웅을 받으면서 아버지는 떠나셨다.

　　그 후로 눈물 많은 나는 매일 아버지를 그리워했다. 그 슬픔을 백일이 되지 않은 사내아이가 조금씩 덜어주었다. 일상 속에 나를 맡기고 하루하루를 살아가다 보니, 어느 날엔가는 내 속에 있는 아버지를 만날 수 있었다. 40여 분의 출근길 차 속에서 아버지가 그리울 때면 내가 아버지를 떠올리면 된다는 것을 깨닫게 되었다.

　　그때부터 아버지는 내 안에 깊은 뿌리로 살아계신다. 스물아홉 일월에 내 삶 속으로 들어온 남자와 꽃다운 청춘 둘과 함께.

우물 말고 샘물

미세한 긴장감이 나를 곧추세운다.

봄이 오는 것을 시샘하는 추위가 긴 복도에 숨어있는 3월이면, 1년을 함께 보내게 될 아이들을 만난다. 기대와 설렘만큼 온몸에 긴장감이 감돈다.

교실 문을 열고 들어서면 스물둘의 우주가 나를 향한다. 스물둘의 우주도 나만큼이나 긴장하고 있다는 것이 느껴진다. 첫 만남만큼이나 첫 일주일이 중요하다. 아이들이 공동체 생활을 하기 위해 기본적으로 지켜야 할 것들을 익히고, 서로를 탐색하고 관계를 형성하는 시기다.

아이들은 생태적으로 서로를 알아본다. 서로가 서로를 알아보고, 서로에게 끌려서 관계를 형성한다. '유유상종'이라는 말을 실감하게 된다. 그렇게 형성된 관계들 속으로 스며들어 그들과 라포를 형성해야 한다. 그들이 조금씩 성장하도록 조력자로서의 역할을 잘 수행하기 위해서.

30여 년을 해마다 반복하는 일이지만 여전히 미숙하다. 모든 것을 해줄 수 있을 것이라 자만했을 때가 있었다. 단시간에 더 나은 모습으로 성장시킬 수 있을 것이라 생각하고 덤벼들었다. 그때는 그것이 옳다고 생각했다. 말로는 화초를 돌보듯 햇빛이 되고, 적당량의 물을 주는 역할을 하겠다고 하면서 화초를 마음대로 옮기고, 가지를 치고, 뿌리를 건드리려고 했다. 그것이 그들을 위한 정성인 줄 알았다. 정성을 기울이는데도 무럭무럭 자라지 않는다고 화초를 탓하고 자책을 일삼았다.

이렇게 한 우물을 팠다. 한눈팔지 않고. 자발적 목마름으로 30여 년을 정성을 다해 한 우물을 팠다. 한눈팔지 않고 파온 우물의 맛은 쓰고, 맵고, 짜고, 혀가 아리기도 했다. 그러다 가끔 달콤할 때가 있었다. 우물 파는 일을 그만둬야 할 때가 온 것 같다는 생각을 언젠가부터 하기 시작했다.

한 발짝 물러나 들여다보니 나의 어리석음이 보였다. 아이들은 성장하기 위해서 이미 고군분투하고 있었다. 그들의 어깨를 두드리며 응원하고 격려하는 역할을 하는 것이 내 몫이라는 것을 뒤늦게 알게 되었다.

지금 와서 생각하면 한눈을 좀 팔았어야 했다.

그랬으면 아이들과의 라포 형성이 더 자연스럽게 이뤄졌을 것 같다. 그랬으면 아이들과 더 많은 경험을 나눌 수 있었을 것 같다. 내가 판 한눈이 때로는 아이들의 성장을 위한 밑거름이 될 수도 있었을 것 같다. 시원하고 달콤한 우물 맛을 맛보고 아이들과 그것을 함께 할 수 있었을 것 같다.

자발적 목마름으로 판 우물을 뒤로 하고
햇살 머금은 샘물을 파보려 한다.
샘물은 어떤 맛일지 궁금하다.

그림책 읽어주는 새댁

== 통영에서 한 달 살기(2026년 6월) ==

느지막이 일어나서 사과 한 알, 구운 계란 두 개, 주먹만 한 고구마 하나를 챙겨 먹었다. 이른 더위가 찾아온 듯하지만 바닷바람이 있어 서늘했다. 청소할 것도 별로 없지만 몸을 움직이는 것이 내 몸을 건강하게 유지하는 것이라 넓지 않은 공간을 쓸고 닦았다. 숙소 밖으로 나가니 햇살이 따스해서 걷기 좋은 날씨였다. 이웃집 담벼락에 작약꽃이 시들어 가고 있었다. 오후에는 책방 '고양이 회관'을 찾았다. 지난주에 갔던 '봄날의 책방'과는 느낌이 사뭇 달랐다. 노오란 출입문이 밝게 나를 맞아 주는 것 같았다. 카페와 소품숍을 함께 운영하는 책방지기님의 색깔이 강하게 느껴지는 공간이었다. 그림책 작가님이라 그런지 다양한 그림책들이 나를 흥분시켰다. 〈바닷가 아틀리에〉를 사서 돌아왔다. 오늘 밤에는 아틀리에로의 초대에 응해야 할 것 같다.

== 그림책 읽어주는 젊은 새댁이 되다. (2027년 3월 2일) ==

경로당에 그림책 읽기 활동을 하러 나갔다. 친정 동네에 있는 경로당이라 낯설지 않았다. 엄마가 있어서 조금 어색하긴 했다. 엄마는 말로는 아니라고 했지만 내심 뿌듯함을 감추지 못했다. 김동성님의 그림으로 만들어진 〈고향의 봄〉을 읽어 드렸다. 자주 경로당을 찾았던 동배댁 막내딸이 그림책을 읽어 드리러 왔다고 하니 '뭔 일인가'하는 표정들이었다. 많이 들어보셨던 노랫말을 그림으로 표현한 책이라 듣는 표정들이 밝으셨다. 독후 활동으로 어르신들 기억 속에 남아 있는 고향의 모습을 이야기해 보는 시간을 가졌다. 어릴 적 추억을 떠올리면서 고향 마을에 대한 이야기를 풀어놓으시는 모습을 보니 행복해 보였다. 덩달아 나도 웃음을 감출 수 없었다. 2주 뒤에 다시 만나기로 했다. 다음엔 어떤 책을 읽어드려야 할지 벌써 신나는 고민이 시작된다.

== 〈로언 트리〉를 피아노로 연주하다 (2028년 12월) ==

3년 전에 본 영화 〈리빙: 어떤 인생〉의 OST '로언 트리(The Towan Tree)'를 연주했다. 피아노를 시작한 지 3년 여 만에 목표를 이뤘다. 둘째가 피아노를 배운 지 5,6년이 지났을 때 구입한 피아노였다. 아이들이 성장하고 더 이상 피아노를 가까이 하지 않을 때도 처분하지 않았다. 전세살이를 하느라 자주 이사를 했지만 간직하고 있었다. 음치에 박치인 내가 피아노를 배울 거라 처분할 수 없다고 하면 남편은 콧방귀를 뀌었다. 3년 전 아파트 내 피아노

학원 문을 열고 들어갔을 때 반갑게 맞아 주시는 선생님 덕분에 오늘 연주를 할 수 있었다. 학원 수강생들의 작은 음악회라 초등학생이 중심이었다. 콧방귀를 뀐 남편의 코를 납작하게 해주고 싶은 마음이 있었지만, 3년 전에 본 영화를 떠올리며 내 분위기에 취해 연주했다. 나에게 용기를 주는 박수 소리가 크게 들렸다. 흐뭇했다. 다음 연주회 때는 무슨 곡을 연주할지 정해야겠다.

== 가족 여행을 떠나다.(2034년 5월) ==

10여 년 전부터 시작한 5월 가족 여행을 속초로 떠났다. 올해는 가족이 더 늘었다. 아들, 딸이 우리가 바랐던 대로 아이를 둘씩 낳아서 10명을 채웠다. 너무나 흐뭇한 일이다. 남편은 요즘 세상을 다 얻은 사람처럼 행복한 나날을 보내고 있다. 10여 년 전에는 아들, 딸이 결혼을 안 할 것이라고 엄포 아닌 엄포를 놓은 시절도 있었다. 그때는 어떻게 하면 아이들을 결혼시키나 걱정을 태산같이 했었다. 우리가 하는 걱정의 9할은 쓸데없는 걱정이라더니 그 말은 진리다. 아들도 대학 동아리에서 알게 된 아가씨와 결혼해서 아들, 딸을 낳아 잘 살고 있고, 딸은 직장 동료 소개로 알게 된 청년과 만나고 헤어지고를 몇 번 반복하더니 결혼했다. 지금은 둘째를 낳고 육아 휴직 중이다. 20대 때처럼 투덜거리기는 하지만 걱정했던 것보다 더 현명하게 아이들 키우면서 잘 살고 있다. 10년 전에 아들 친구

엄마들이랑 여행 왔다가 우연히 발견한 카페 '어나더 블루'를 찾았는데 커피 맛이 변함없었다.

== 사전 장례식을 치르다.(2057년 4월 초) ==

30여 년 전 〈그림책으로 배우는 삶과 죽음〉의 저자 임경희 선생님의 강의를 들을 기회가 있었다. 그것이 계기가 되어 '그데함'이라는 밴드에 가입했고, 죽음에 대한 책을 읽고 강의를 들었다. 건강한 삶을 살아야 평안한 죽음을 맞이할 수 있다는 것을 알게 되었고, 30여 년 동안 실천하려고 노력했다. 부지런히 몸을 움직이고, 책을 가까이하면서 열린 생각을 가지려고 애를 썼다. 크게 아픈 곳 없이 기력만 쇠한 상태로 3년을 살아왔다. 죽음에 대해 관심을 가지던 그때만 해도 스위스와 네덜란드에서만 합법적으로 허용되던 안락사가 10년 전부터 우리나라에도 합법화 되었다. 반가운 소식이었다. 반대하던 남편도 3년 전부터 받아들여 주었고, 아이들도 내 뜻을 존중해 주었다. 새싹이 올라와 영롱한 빛을 자랑하는 초목의 계절에 떠날 수 있어 좋다. 가족과 형제들, 많지 않은 친구들을 초대하고 마지막 인사를 나누는 시간을 가졌다. 긴 인생 참으로 행복하게 살았다. 천상병 시인이 〈귀천〉에서 노래한 것처럼 '아름다운 소풍'을 자발적으로 끝낼 수 있어 더욱 행복하다.

에필로그

" 찬란하게 아름답다는 생각을 강하게 했다."

책에서 이 구절을 읽는데 내 안에서 쓸쓸한 바람 소리가 들렸다. 내 인생에도 '찬란하게 아름다운 순간'이 있었을까? 있었겠지만 지금은 아련하다.

'앞으로 내 인생에 또 그런 순간을 맞이할 수 있을까?'

나뭇잎을 흔드는 바람처럼 내게 다가온 글쓰기가 그런 순간이 될지도 모른다. 그래서 30년 만에 한눈 파는 삶을 살기 시작했다.

평범한 일상의 다정한 풍경

- 바람결

"오늘 립글로스 예쁘네!"
그날 밤, 립. 글. 로. 스. 예. 쁘. 네. 라는 그의 말이
구름처럼 둥둥 떠다녔다.

　하얀 겨울에 시작된 그의 인사는 여린 봄을 지나고
뜨거운 여름까지 지속되었다. (49쪽)

가끔은 쓸쓸했고, 이상했고, 많이 행복했다.

때때로 찾아오는 혼자 있는 시간을 견디지 못했던 나는 그 시간과 공간 모두를 멈추게 하려는 듯 얼음이 되기도 했고, 때로는 남들이 말하는 기준이 이해되지 않아, 꼬리에 꼬리를 물어 생각하다 길을 잃을 때도 있었다. 굽이굽이 수많은 갈래 길에는 여러 모습을 한 내가 있었다. 무수한 내가 나를 기다리고 있었다.

그 모든 내가 모여 지금의 내가 되었음을 미처 알지 못해, 수많은 시간 동안 나를 이해하지 못했다는 것을 알았다. 외면하고 모른 척했던 그 시절의 나에게 돌아가, 이야기를 나누고, 토닥토닥 안아 준 후 비로소 지금의 나도 안아 줄 수 있었다.

유별나리만큼 넘치는 엄마의 사랑은 나의 삶에 안온한 울타리가 되어 주었다. 한없는 그 사랑이 고맙고 애틋해서 자다가도 벌떡벌떡 일어나 목 놓아 울기도 했다. 언제나 내 편이었던 아빠의 사랑은 내 모습 그대로도 괜찮다는 것을 알게 해주며 '충분해'라는 선물을 주었다. 그분들이 나에게 주셨던 것들이 젊음과 맞바꾼 희생이었다는 걸 두 아이를 낳고 키우며 알게 되었다.

온 맘을 다해 사랑을 가꾸어 사람을 키워 내는 것이 얼마나 노력해야 하는 것임을 아직도 배워가는 중이다. 내 의지와 상관없이 흐르는 그 사랑을 막을 길이 없다는 것도.

글을 쓰며 나를 만나니 비로소 내가 받은 사랑도 함께 보인다. 수많은 다른 색깔의 사랑을 먹고 입으며 자랐고, 지금의 내가 되었다. 그 사랑으로 누군가를 키우고, 나누며 살아가고 있다.

그래도 여전히 가끔은 쓸쓸하고, 이상하고, 많이 행복하다.

그 여름밤 우리는

"오늘 립글로스 예쁘네!"

그날 밤, 립. 글. 로. 스. 예. 쁘. 네. 라는 그의 말이 구름처럼 둥둥 떠다녔다.

하얀 겨울에 시작된 그의 인사는 여린 봄을 지나고 뜨거운 여름까지 지속되었다.

끝나지 않을 것 같던 한여름의 불볕더위도 한 걸음 뒤로 물러선 순한 여름 저녁, 그날도 어김없이 우리 집이 마지막이었다. 세 계절이 지나도록 한결같이 보여준 다름의 의미가 궁금할 무렵이었다. 이런저런 이야기를 나누다 아르바이트가 내일이면 끝난다는 이야기를 하면서 평소 같으면 하지 않았을 말이 나도 모르게 나와 버렸다.

"놀이동산 가고 싶은데 같이 갈 사람이 없어요."

앗! 이게 아닌데! 순간 얼굴이 화끈거렸다. 눈치 없이 도곤거리는 심장 소리를 들키지 않으려고 큰 소리로 인사를 하고 허둥지둥 차에서 내려 집으로 왔다. 그날 밤, 이불 킥을 몇 번이나 했는지 모르겠다. 뻔한 멘트에 얼굴이 화끈거렸다가 '그럴 수도 있지. 이제 와서 어떡해'라며 스스로를 다독이던 요란한 며칠 밤이 지났다.

나와는 무관한 듯 세상은 아무 일도 없었던 것처럼 눈부신 햇살이 평화로운 아침이었다. 요란하게 전화벨이 울렸다. 익숙한 번호다.

"오늘 뭐 해? "
"특별한 일은 없는데……"
"오빠랑 놀이동산 갈래?"

환호성을 지르고 싶은 속내를 감추고 무심한 목소리로 통화를 끝냈다. 그가 예쁘다고 했던 립글로스를 바르고 태연한 척 그에게로 향했다. 그가 어색한 몸짓으로 자동차 문을 열어주며 말했다.

"오빠가 며칠 동안 준비 많이 했어. 여기 타"

내 옆자리에 그가 앉자 또다시 허락도 없이 심장이 두근거리기 시작했다. 그는 차 안의 어색한 공기가 불편하지 않도록 평소보다 더 많은 농담을 했다. 그의 배려가 따뜻하고 편안했다.

어느새 우리는 우방랜드 앞에 도착했다. 사람들이 꽤 많았다.

놀이기구를 타기 위해 나란히 걷고, 긴 줄을 서서 기다리는 동안 우리의 팔은 우연히 닿았다 떨어지기를 반복했다. 마치 모든 세포가 팔에만 존재하는 것처럼 콩닥콩닥 온 신경이 집중되었다. 그는 나의 속도에 맞추어 걸었고 얼굴은 줄곧 내 쪽으로 기울어져 있었다. 수많은 인파 속에서 나란히 걷던 중, 한 무리의 학생들이 우르르 우리 쪽으로 지나가면서 내가 저만치 뒤로 밀려나게 되었다. 그는 뒤로 밀려난 나의 손을 부드럽게 잡아, 자연스럽게 이끌었다. 어색함을 견디며 그가 이끄는 대로 걸었다. 그의 손은 크고 투박했지만 부드럽고 따뜻했다.

처음 느껴보는 이 감정을 표현할 단어들을 떠올려 보다, 배꼽시계가 여러 차례 울리고서야 그곳을 빠져나와서 식당으로 갔다. 그곳은 동그란 양철 식탁이 여러 개 있었다. 우리는 창가 쪽에 자리를 잡았다. 그가 주문하는 대로 고개를 끄덕이며 좋다고 했다. 곧이어 양은 냄비 가득 돼지 갈비찜이 나왔다. 우리는 말없이 식사하며 어쩌다 눈이 마주치면 어색하게 미소만 지었다. 식사를 마치고 밖으로 나오니 밤공기가 시원했다.

시간이 어떻게 흘렀는지 눈 깜짝할 사이, 우리 집 앞이다. 차에서 먼저 내린 그는, 떨리는 목소리로 말했다.

"또 전화해도 돼?"

노란 가로등 불빛 아래, 발그레한 얼굴의 나는 말없이 고개만 끄덕였다.

그 여름밤 우리는, 비슷한 얼굴을 하고 있었다.

오도카니 마루에 앉아 있던

오늘도 형은 밥을 차려 주었다.
형이 밥을 차려주니 고맙고 미안했다.
나도 나중에 형 대신 내가 밥을 차려주어야겠다.

20**년 2월 9일 화요일

둘째 아이의 그림일기 중 한 편이다. 워킹 맘인 나는 초등학생이 었던 두 아이의 방학이면 평소보다 한 시간 반가량 일찍 일어나, 하루 동안 아이들이 먹을 두 끼의 식사와 간식을 챙기느라 바빴다. 주로 준비했던 음식은 아침은 국과 밥, 오전 간식은 가볍게 먹을 수 있는 요플레와 여러 종류의 과일, 점심은 한 그릇 음식인 볶음밥, 덮밥, 김밥, 오후 간식은 배를 든든히 채울 수 있는 햄버거, 샌드위치, 토스트 등이다. 한정된 메뉴였지만 매일매일 바꾸어 주려고 노력했다. 이렇게 아이들이 먹을 음식을 잔뜩 챙겨놓은 후, 반쯤 눈이 감겨 있는 두 아이를 식탁에 앉혀 아침밥을 입 안에 넣어주며, 조곤조곤 당부를 전하였다.

"여기 빨간통에 있는 사과는 오래 두면 색깔이 변하니 아침에 먹고, 파란통에 있는 햄버거는 오후에 먹어. 데워 먹고 싶으면 전자레인지 시작 버튼 한 번 누르면 돼. 그게 30초야. 엄마가 여기 쪽지 붙여놨고 메모도 적어 두었어. 잊어버리지 말고 챙겨 먹어. 점심먹고 1시 30분에 학원가야 해. 여기 일정표 적어 뒀어."

안쓰러운 마음을 애써 토닥이며 출근하는 일상은 방학 동안 매일 아침 반복되었다. 엄마가 일하러 나가 있는 동안 두 아이는 간식을 먹고 숙제를 하고 적당히 시간을 보내다 학원에 다녀왔을 것이다.

퇴근 후 집으로 돌아오면, 아이들이 내 품 안에 포옥 안겼다. 하루의 고단함이 풀리는 시간이었다.

그것도 잠시, 아이들이 먹은 음식을 확인하고 정리하고 저녁 식사를 준비하고 먹고 치우고, 숙제를 봐주었다. 아이들이 불쑥불쑥 재잘재잘 저마다의 언어로 하고 싶었던 말들을 쏟아냈다.

"엄마, 오늘 온유가 텔레비전 더 봐야 한다고 해서 학원 늦을 뻔했어."
"아니야. 나 조금 봤어."
"엄마 나 레고 다 만들었어. 봐봐"

아이들의 이야기를 듣다 보면 야속하게도 시곗바늘은 아홉 시를 훌쩍 넘겨버린다. 아이들이 잠든 밤에도 남은 집안일을 하다 보면 어느새 내일로 넘어가는 시간이다. 피곤을 이기지 못한 날에는 아이들을 재우다 함께 잠들기도 했는데 그런 다음 날은 할 일이 배가 되곤 했다.

'누굴 위해 이렇게 바쁘게 사는 거지?'

바쁜 일상 중에도 마음속 나는 무수히 말을 걸어왔지만 매일의 과제와 피로감에 묻혀 대답 없는 메아리만 반복하였다.

그러던 어느 날 저녁, 식탁 위에 놓인 아이의 그림일기를 마주했다. '집은 엄마다'라는 한 아파트 광고와 함께 어릴 적 기억 하나가 소환되었다. 당시 공감했던 광고였는데, 지금 생각해 보니 혼자 있던 어린 나와 만나는 순간이었나 보다.

초등학교 일 학년 어느 가을날, 학교를 마치고 집으로 돌아와 대문에 들어서는데 평소와 다르게 소연(蕭然)한 기운이 감돌았다. 엄마가 없었다. 구석구석 엄마를 찾아다녔지만, 집 안팎 어디에도 없었다.

엄마가 없는 텅 빈 집의 풍경이 낯설어 오도카니 마루에 앉아

하염없이 대문만 바라보았다. 시간이 얼마나 흘렀을까? 집에 돌아오신 엄마가 저녁 식사 준비를 바쁘게 하셨다. 그리고 사라져 버린 색채처럼 흐려진다. 그날의 낯선 풍경만 쓸쓸함으로 선명하다.

그날이 원체험이 되었을까? 어린 시절 엄마가 없는 집은 유독 적막하게 느껴졌고 혼자 있던 시간은 쓸쓸하게 기억된다. 그 쓸쓸함은 허기가 되어 먹어도 먹어도 배가 고팠다. 어쩌면 쓸쓸했던 어린 나의 기억이 엄마가 없어도 존재하는 것처럼 넉넉한 음식으로 표현해 두었는지 모른다.

우리 아이들은 쓸쓸한 허기를 느끼게 하고 싶지 않은 엄마의 바람이었는지 모른다.

그림일기 속 주인공들을 말없이 바라보았다. 식탁에 볶음밥이 담긴 그릇을 놓는 작은 아이와 널찍한 식탁에 앉아 기다리는 더 작은 아이를. 두 아이의 마음을 헤아려 보려다 멈추었다. 가슴이 시큰거렸다. 쓸쓸했던 어린 나를 마주했다. 지금에서야 엄마에게 하지 못했던 말을 떼를 쓰듯 쏟아낸다.

'왜 말도 없이 늦게 왔어? 내가 얼마나 기다린 줄 알아?
나보다 더 중요한 일이 뭔데? 내가 얼마나 쓸쓸했는데……'

그날 밤 아이들을 품에 포옥 안았다. 오도카니 마루에 앉아 있던 내 안의 그 아이도 오래 안아 주었다.

최장금네

둘이 떠나는 해외여행이 이십 년 만이다. 책과 영화, 잠에 빠져 있다 보니 어느덧 스위스 제네바에 도착했다. 반백 살에 가까운 우리는 어린아이처럼 마냥 신이 나고 즐거웠다. 사진과 영상으로 보던 풍광에 넋을 잃고 시간 가는 줄 몰랐다.

사진 속 우리는 이십 년 전보다 여유로워진 얼굴로 환하게 웃고 있다. 아들과 영상통화를 했다. 첫째 아들은 수능시험이 끝나 한가한 시간을 보내고 둘째 아들은 열심히 공부하며 바쁜 시간을 보내고 있었다. 우린 아무 걱정 없이 오롯이 여행과 서로에게 집중했다. 이 년 동안 준비한 체력 덕분에 여행 내내 건강하게 보낼 수 있었다.

절친 같은 우리는 이 여행을 시작으로 매년 길고 짧은 둘만의 여행을 즐기게 되었다.

여행에서 돌아와 아들과 이야기를 나누었다. 두 아들은 자신의 꿈을 향해 한 걸음 나아가려는 계획이 단단했다. 지금 원하는 것을 찾았고, 그 길을 향해 도전하는 아들은 많이 설레고 행복해했다.

힘든 고등학교 생활을 잘 마친 두 아들을 많이 안아 주고 앞으로의 날들을 응원해 주었다. 두 아들이 행복해서 우리 부부는 더 많이 행복했다.

공모전 당선 소식이 전해졌다. 공모전에 당선된 단편 소설이 책으로 나왔고, 책방지기 지금님께 선물했다. 지금님이 책방에 진열해 주셨다. 쑥스럽지만 뿌듯했다. 첫 당선 이후 단편 소설을 성실히 쓰면서 꾸준히 응모 중이다. 내 삶의 이야기도 쓰고 있다. 곧 에세이집이 출간될 예정이다. '언제쯤 작가라는 호칭이 낯설지 않을까?' 혼자서 이런 생각을 하는 지금이 설렌다.

드디어 꿈꾸던 건물을 지었다. 이 년 동안 구상한 것을 구현해 낼 수 있도록 두 아들이 많은 영감을 주었다. 건물의 임대가 이루어지며 자동화 수익이 생겨 시간과 돈으로부터 자유를 얻었다. 일 층에는 책방과 꽃집, 약국이 들어왔다. 2~3층에는 병원이, 4층 오피스텔은 목회자 사택으로 제공하였다. 우리 집은 꼭대기 층이다. 옥상에는 정원이 있고, 캠핑을 즐길 수 있는 장비도 설치되어 있어 아들이 친구들과 자주 놀러 와 머물다 갔다. 아들 얼굴을 자주 볼 수 있어 행복했다.

우리 건물 일 층에 있는 책방에서 독서 모임을 하고 있다. 대상은 65세 이상이다. 독서 모임 전 국수를 대접했다. 최장금님(요리를 잘 하는 남편의 애칭)이 국수를 손수 만들어 대접해 주었다. 우리는 배부르게 국수를 먹고 독서 모임을 했다. 배도 부르고 마음도 부르다고 행복해했다. 독서 모임이 없는 날에는 70세 이상 어르신들에게 국수를 점심으로 대접했다.

가을 향기가 코끝에 은은히 퍼지던 구월, 동네 어르신들이 최장금네 책방으로 들어왔다. 잔칫집처럼 시끌벅적 화기애애한 분위기 속에서 남편 '최장금님'이 정성스럽게 준비한 국수로 마음을 나누었다. 모임 속에 배어 있는 다정한 배려는 처음 온 어르신이 소외감을 느끼지 않게 해주었다. 그래서 먼 곳에 사시는 어르신들도 용기 내서 독서 모임을 신청했다. 그분들은 책이 아니라 최장금이 만들어 주는 국수를 먹고 싶어서 오는지도 모른다. 우리는 어르신들께 국수를 대접하는 시간이 책보다 좋아서 독서 모임 이름을 〈최장금네〉라고 지었다.

에필로그

아늑함에 몸을 맡기며 나릿나릿 활자를 좇아가다 보면 어느덧 나만의 동굴로 들어간다. 현실이 아득하게 느껴질 무렵, 저물녘의 어슴푸레한 빛이 창가를 비추고 있었다. 지금님이 책방 식구들을 위해 저녁상을 차리신다. 노각 비빔밥을 손으로 조물조물 비비면서 책방 식구들 입에 한 덩이씩 넣어주시는 그녀의 모습을 물끄러미 바라보다 문득 나의 엄마가 보였다.

'그랬구나. 내가 이토록 그곳이 그리웠고, 따뜻했던 이유가 여기 있었구나.'

그곳에서, 겹겹이 입고 있던 옷들이 필요 없었다. 나는 오롯이 나로도 괜찮은, 엄마 앞에서만 보일 수 있는 나로도 충분했다. 내 글도 누군가에게 내가 만난 책방처럼 '평범한 일상의 다정한 풍경'이 되면 좋겠다.

풍경화 한 장

- 해바라기

새벽이 되어도 오지 않는 남편을 기다리며 내 등에 업힌 딸에게

　"엄마 어떡하지"

라고 절망의 말을 건넸을 때 옹알옹알 내 등에 업혀서 답해주는 딸이 그 새벽에 그렇게 위로가 되었다. (71쪽)

서문

못 푸는 문제는 그냥 넘기는 게 답일지도

인생이 참 긴 듯 짧은 듯 잘도 가네.

나라는 한 사람을 알기 위해 가고 있는 여정이 이제는 편안한 마음이 드니 내 나이가 늙음으로 가고 있는 모양이다. 너는 너 나는 나로서 살아야 온전한 인생을 살 수 있다는 걸 알게 된 게 60이 턱 앞에 와서이다.

철없던 날들 순진했던 날들 그래서 더 아파했던 날들, 인생이 휘몰아칠 때는 산고의 고통보다 더 아프게 느끼며 산 날들도 있었지. 내가 나로서 한 여자로서 그리고 엄마로서 살게 해 준 시간들이 나를 성장시켜 줬다.

더 인간다운 사람으로 살게 해준 날들이 되어, 나의 가슴에 남아 온전히 사랑으로 덮을 수 있는 시간으로 나를 이끌어 준 신께 감사할 뿐이다.

행복이란 누구에 의해서가 아니라 누구 때문도 아닌 오직 나로서 온전히 행복해야만 한다는 것이다. 지금 난 그렇다. 나 혼자 있어도 같이 있어도 내 마음이 그다지 흔들리지 않는다. 나는 나여서 좋을 뿐이고 행복에 대해 생각을 억지로 할 필요도 없고 마음의 평화가 가득해서 내 주위도 평화로웠으면 좋겠다.

내가 알고 있는 사랑은 매우 이기적인 사랑이었다는 걸 내 사랑하는 딸과 아들을 보며 깨닫게 되었다. 미성숙한 어른의 마음인 나를 지지해 주고 응원해 주고 기다려 준 자식들을 보며 사랑이 뭔지 깊이 알게 되었다.

그리고 나의 남편은 나에게는 어려운 수학 문제라고 생각하며 살았다. 못 푸는 문제는 그냥 넘기는 게 답인데 끙끙대며 풀려고 하다가 내가 더 힘들어진다는 걸 몰랐다. 다름을 인정 못 하니 그런 어리석음을 범하였다.

지금은 내가 풀 수 있는 것만 풀여 자신감을 가지며 산다.

봄날

남편이 깰까 봐 말을 못 했다. 아픈 배를 안고 통증의 시간을 견뎠다. 더 이상 참을 수 없는 순간, 남편을 깨워서 병원으로 달려갔다. 그러나 첫아이라서 통증만 19시간을 견뎌야 했다.

너무 아파 소리치는 나를 보며 재밌다는 듯 내려다보면서 이렇게 말했다.

"너 눈 지금 미친 거 같다."

그러면서 껄껄거리며 웃는 남편의 얼굴을 보며 짧은 순간 분노의 욕이 나올 거 같았지만, 정신이 들고 난 뒤를 생각해서 참았다. 지금 같았으면 '미친놈'이라고 욕했을 것 같다. 그때는 28살밖에 되지 않아서 욕할 줄 몰랐다.

봄날에 아기를 낳으면 인턴들이 실습으로 여럿 들어온다. 지금 생각하니 너무 창피한 순간인 거 같은데, 미치도록 아픈 통증은 창피도 잊게 했다. 레지던트가 내 손을 잡고 숫자 100이 되도록 세게 하면서 말했다.

"엄마 되는 거 쉬운 줄 알았어요?"

그 말은 엄마 되는 순간부터 인내심을 가져야 아이를 잘 키우게 된다는 말처럼 들렸다.

그렇게 예쁜 내 딸은 어버이날 선물처럼 내게 안겼다. 아주 작은 등에는 온통 솜털이 많이 난 아기를 보니 감동의 눈물이 났다.

그것도 잠시였다. 며칠 뒤, 아기를 집으로 데리고 들어가는 날 아기를 안는 순간 겁도 나고 우울했다.

내가 과연 좋은 엄마가 될 수 있을까 두려웠다.

첫아이라서 온 신경이 아기에게 가 있었다. 아기에게 젖을 먹이고 재우는 모든 순간이 좋기도 하고 힘들기도 했다. 잠을 충분히 못 자서 누가 나를 위해 잠시만이라도 아기를 봐줬으면 하는 맘이 들기도 했다.

철없는 남편은 놀기 바쁘고 아기가 어찌 커가는지도 모르고, 아기가 잘 때 나갔다가 잘 때 들어오는 올빼미였다. 친정엄마도 나를 따뜻하게 보살펴 주지 않았다.

그때를 생각하면 그 봄날이 아름다운 만큼 가슴 한 켠이 시리다. 잠시 친정살이를 했었는데 결혼한 딸에게 엄마는 냉정했다. 그래서 지금도 친정엄마에 대해 별로 정이 없다. 내가 입덧을 해도, 하찮은 김칫국이 먹고 싶다 해도 엄마는 투덜대며 해주지 않았다. 얼마 전 김칫국을 끓이는데 너무 쉬웠고 맛있었는데, 그때 야속한 엄마를 생각하니 눈물이 핑 돌았다.

나는 사형제 중 둘째로 태어나서, 그것도 설날 바로 전에 태어나서, 그것도 못난이여서 우리 엄마는 내가 태어난 것이 싫은 듯했다. 아들을 낳기 위해 내 이름을 '경남이'라고 입학하기 전까지 불렀다. '나미야 나미야' 불러대서 내 이름인 줄 알았다.

모든 것을 아들에게 주려는 엄마가 어린 마음에도 너무 미워서 사사건건 남동생을 괴롭히는 누나가 되었다. 서랍장을 사면 맨 위 칸을 열면 남동생 옷들이 가득 들어있다. 그것을 보면 화가 치밀어 남동생 옷을 바닥으로 다 내동댕이쳐 버렸다.

무엇이든 새 이불을 사도 절대 그건 내 것이어야, 그날 우리 집이 조용해졌다. 공부도 열심히 했다. 내 맘대로 해야 했기 때문이다. 중학생이 되어서는 더 악착같이 했다. 그 기세로 계속 열심히 했으면, 아마 스카이대학에 갔을 것이다.

그렇게 모범생으로 고등학교를 졸업하고 대학에 가서 지금의 남편을 만났다. 구레나룻에 키는 작고 옷도 허름한 남학생이 버스 중앙 바닥에 퍼질러 앉아 있는 걸 보고 너무 놀랐다. '뭐지, 저 사람은?' 하는 의문이 오랜 시간 내 머릿속에 있었다.

그러다 졸업할 때쯤 그가 군대 휴가를 나와서 우리 집에 전화를 했다.

"경숙이 있는 교?"

엄마는 그가 나에게 감정이 있는지 산적 같은 목소리로 말했다고 전해주었다. 막무가내로 돌진하는 그를 운명처럼 받아들였다. 가족을 잘 책임질 것 같은 박력에 이 사람이면 결혼해도 되겠다는 마음이 들었다.

그러나 결혼하고 나니 내가 꿈꾸던 그가 아니었다.

결혼 전에 내게 했던 말이 생각났다.

"나는 엄마가 아주 어렸을 때 돌아가셔서 계모 밑에서 자라서 집이 싫다. 집 가는 거보다 역 대합실이 더 편하더라."

나는 그 말이 가정적인 남편이 된다는 뜻으로 들렸다. 너무도 큰 착각이었다. 내가 듣고 싶은 대로 들었던 내 죄가 더 크기 때문에 누군가에게 하소연할 수도 없었다.

젊은 날에 나는 참 의존적이었다. 남편에게 아주 많이 의지했다. 결혼하면 가정을 소중히 여길 줄 알았던 남편은 1년을 하루 같이 규칙적으로 늦게 귀가했다.

새벽이 되어도 오지 않는 남편을 기다리며 내 등에 업힌 딸에게

"엄마 어떡하지"

라고 절망의 말을 건넸을 때 옹알옹알 내 등에 업혀서 답해 주는 딸이 그 새벽에 그렇게 위로가 되었다.

딸이 취업 준비를 하는 몇 년 동안 나는 벚꽃 나들이를 하지 않았다. 힘들게 공부하는 딸을 생각하면 내가 뭔가 즐기는 게 미안했다. 그 딸이 지금 서른하고도 두 해가 지나 벚꽃이 만발한 봄날에 둥지를 털고 결혼한다. 내 말 한마디도 허투루 듣지 않는 딸에게 늘 감사한 마음뿐이다.

한동안 나는 벚꽃 피는 봄이 너무 싫었다. 이제는 아름다운 벚꽃 길을 걸으며 환하게 웃는다.

예고 없이

처음 본 노인이 되었다. 전혀 거동도 못 하고 말을 걸면 몇 번이나 불러야 겨우 대답할 정도였다. 혼자 화장실도 못 가고, 혼자 일어나지도 못하고, 드시지도 못했다. 하나부터 열까지 다 해드려야 하는 상황이었다.

겁이 덜컥 났다. 이러다 엄마가 가시는 건 아닐까 방정맞은 생각까지 들었다. 연세가 93세나 되셨으니 무리한 생각은 아니다. 엄마는 남동생 부부와 같이 산다. 그 핑계로 난 늘 농땡이로 살았다.

정확히 말하면 불효녀이다. 내 생활에 바빠서 엄마를 생각하는 것도 잊었다. 찾아뵙는 거는 지친 하루를 다 마치고 밥하러 집 가는 길에 엄마 생각을 잠깐 하다 말곤 하며 살았다. 그런 나에게 엄마는 전화라도 해주면 좋겠다고 말했다. 매일 전화해달라는 소리가 지겨웠다.

나는 엄마를 영원히 늘 그 자리에 있는 소나무처럼 생각했다.

처음으로 엄마의 기저귀를 갈고 뒷처리를 하는데 내 엄마인데도 참 당황스럽고 어색했다. 그런 내 마음처럼 기력을 잃은 엄마지만 딸에게 그 모습 보이는 게 참담했는지 엄마의 눈빛은 뭐라 표현 안 되는 뭔가가 느껴졌다.

매일 위험해지는 엄마를 모시고 구급차를 불러서 병원에 갔다. 뇌졸중에 폐렴까지 왔다는 진단이 나왔다. 남동생은 지금 너무 힘들어서 우울증까지 왔다. 엄마가 아들을 사랑한 보람이 있는 것 같아서 한편으로 우리 엄마가 인생 잘 살았다는 생각이 든다.

오롯이 단둘이 있는 시간에 엄마에게 마지막이 될 속 얘기를 했다. 말을 꺼내기가 어색했다.

"요즘 세상에 아들이 함께 살며 매일 보살피는 집이 흔치는 않잖아. 엄마 인생이 너무 완벽하면 별로지 싶어서 내가 불효녀 역할 해준 거야."

괜히 너스레를 떨었다.

"엄마, 나 키운다고 고생 많았지. 키워줘서 고마워.
그리고 사랑해."

엄마도 나에게 말했다.

"나도 너 사랑한다."

한때 아들만 편애해서 미웠고 첫딸 내 언니를 너무 특별히 생각해서 미웠다. 엄마를 참 많이 미워했는데 사랑한다고 말하고 나니 엄마의 삶이 이해가 된다. 그러나 엄마를 사랑해 주지 못했던 죄책감은 어떤 이유로도 변명이 되지 않는다.

지금 엄마는 격리병동으로 가셔서 일주일간 만나지 못하는 상황이다. 엄마를 보낼 마음의 준비를 하지 못했는데 느닷없이 찾아온 이별의 위기감 앞에서 어찌할 바를 모르고 있다.

이별은 이렇게 예고 없이 찾아오는 모양이다.

매일이 축제

== 크루즈 여행을 떠나다. (2025년 2월) ==

드디어 둘이서 여행을 떠나본다. 살면서 단 한 번도 둘이서 여행을 떠나본 적이 없는데, 남편도 나이가 드니 어쩔 수 없나 보다. 마누라랑 여행 갈 생각을 하는 거 보니. 나는 예전에 친구들이 남편과 여행을 가는 걸 보고 신기하기도 하고 부럽기도 했었다. 그래서 여행이라는 단어를 맘속으로 눌러버렸다.

아들딸이 결혼하고 나니 우리 부부에게도 변화가 찾아왔다. 늘 친구와 함께하던 남편이 귀가도 일찍 하고 가족과 시간을 많이 가졌다. 그런 남편의 모습을 보는 게 싫지 않았다. 솔직히 행복한 기분이다. 감사하다.

여행은 언제나 설렌다. 우리는 지중해로 떠나기로 했다. 다른 곳에서 처음 본 사람들과 지중해의 멋진 경치를 보며 행복한 시간을 보냈다. 딸의 성화에 못 이겨 남편과 단둘이 여행을 다녀오게 되었지만 처음 느껴본 평화로움이었다.

== 동화책 읽어주는 할머니 (2027년 3월) ==

아들은 미국으로 가고 며느리는 아기를 안고 한국으로 돌아왔다. 그 사이 딸도 아기를 낳았다 꼬물거리던 아기들이 이제 옹알이를 마치고 '엄마 아빠 할미 할부지'라고 말한다.

그간 연습한 구연동화를 손자 손녀 앞에서 할 수 있어서 너무 좋다. 할머니가 읽어주는 동화책이 재밌는지 예쁜 눈으로 반짝이며 나를 쳐다보는 손자 손녀들을 보는 마음은 세상을 다 얻은 만큼 행복했다.

건강하게 지내자. 우리 아들딸에게 쓸모 있는 엄마가 될 수 있어서 감사하다. 귀여운 손주들과 늘 함께 할 수 있어서 감사한 하루하루를 보내고 있다.

== 버스킹을 하다 (2028년 4월) ==

드디어 나도 멜로디를 들려주는 클래식 기타리스트가 되었다. 늘 가야금 소리만 내다가 2년 전부터 클래식을 연주하게 되는 경지에 올랐다. 악보도 못 보는 내가 클래식으로 기타를 연주하다니. 스스로에게 감동이다. 꾸준히 하면 된다는 걸 깨닫게 해줬다.

집에서 손자 손녀들 앞에서 연주를 할 때면 그 아이들이 내 주위에 모여서 귀를 쫑긋하며 듣고 있는 걸 보면 신기하다. 뭘 알고 듣나 싶다.

마음이 우울할 때 피아노를 치면 그보다 더 힐링 되는 것은 없다고 느낄 만큼 평화로워진다. 학교에서 초청공연을 하고 성당에서도 하고 예술의 전당에서도 연주하는 실버악단을 창립했다.

인생 2막을 사는 기분이다. 매일이 나에겐 축제이다.

== 베이커리 카페를 열다.(2035년 5월) ==

딸이 베이킹에 취미를 가진 지 거의 15년이 되었다. 직장을 다니며 주말에 집 와서 아이들 놀이처럼 빵을 구웠다. 나는 딸 곁에서 아이가 놀이를 할 때 그러듯이 가만히 건드리지 않고 말 걸지 않고 집중할 수 있게 그리고 그 시간이 힐링 될 수 있게 지켜봐 주고 도와주는 역할을 했던 날이 있었다.

그러다 보니 남편도 관심을 갖고 가끔 작은 오븐에 쿠키 정도 굽는 거 같았다. 2024년부터는 작정하고 딸 따라쟁이가 되어 빵과 쿠키를 굽기 시작했다. 입으로 모든 걸 심부름 시키며 나를 귀찮게만

하더니 이제 나까지 빵 굽는데 참여하게 만들었다.

결국 베이커리 카페를 열었다. 빵 굽는 냄새를 맡으며 하루를 시작하는 삶도 나쁘지 않았다. 우리 부부가 나이가 있다 보니 또래 친구들이 많이 왔다. 심심치 않게 와줘서 고맙기도 하다. 나의 커피 내리는 솜씨가 일취월장해서 동네에 소문이 나서 커피 손님도 자주 온다. 가끔씩 인생 상담을 원하는 젊은 친구들도 온다. 내 말이 그들에게 따뜻한 위로가 돼 줄 수 있어서 감사한 나날을 보내고 있다.

== 안식년을 준비하며 (2045년 4월) ==

어느덧 우리 나이도 80을 바라보고 있다. 돌아보면 지나온 세월이 유수와 같다. 풍랑도 맞았고 태풍도 맞고 고통스러운 날들도 있었지만, 기쁨과 감사와 달콤하고 행복한 날들이 더 많았던 인생이었다.

매일 운동 삼아 남편과 성당을 다니는 시간이 우리에게 참 좋았다. 어떤 친구도 이제는 남편보다 더 편하지 않다. 그저 말하지 않아도 편안한 사이가 된 우리는 이 세상 어느 때보다 친한 친구이다.

같이 성경을 읽고 기도도 하며 하루를 시작한다. 가끔 우리는 서로 먼저 가는 날을 생각하며 죽음에 대해 얘기를 나눈다. 죽음이 두렵지 않도록 우리가 갈 곳 어떻게 죽을지 무슨 말을 자식들에 남길지 이런저런 얘기로 시간을 보낸다.

우리는 유언장을 작성해서 가장 잘 보이는 곳에 보석함에 넣어 보관했다. 우리가 죽으면 들어갈 자리로 경주 가까운 산내 위령 성지 납골당에 미리 예약해 뒀다. 다 준비하고 나니 마음이 홀가분했다.

우리 둘 다 서로에게 행복하고 감사한 날들이 많았다. 그래서 우리 인생을 한 폭의 그림으로 표현했다. 아름다운 봄날, 들판에 나비가 노니는 풍경화 한 장을 50호 화폭에 멋지게 그려 놓고 우리 둘은 흐뭇한 미소를 지어본다.

에필로그

나의 불안은 탯줄을 감은 채 엄마의 뱃속에서부터 시작되었다. 내 안에서 수시로 올라온 주된 감정은 불안이었다. 그런 마음 때문에 나는 마음공부 하는데 많은 시간과 돈을 들였다. 그래서 빨리 늙고 싶었다. 지금은 60이 코앞이다. 매일 살아있어서 감사하다. 돌아보니 별거 아니었다.

인생이 뭐 별건가. 누군가 내 삶을 그린다면 풍경화 한 장만 남을지도 모른다.

오붓이

- 붕어빵

"결국 모든 것이 없어져도 남는 것은 사랑이다."
극한의 상황에 치닫고 깨달은 것은 사랑이었다.
그렇게 난 이 사유를 알약과 함께 꿀꺽 삼켰다.(86쪽)

서문

취급주의 붕어빵

안녕하세요.

호호 불어 붕어빵입니다.

어느 날은 뜨뜻한 붕어빵이 수줍게 인사를 건네구요.

어느 날은 앗 뜨거 붕어빵이 어깨를 빵 칩니다.

앗 뜨거 붕어빵은 앓고 있는 병에서 갑자기 수면 위로 솟아오르곤 합니다. 조울병은 벗어날 수 없어 평생 함께해야 한다는 것을 경험으로 알았습니다. 그렇지만 이젠 싫지만은 않아요.

대부분의 시간이 눅눅한 붕어빵은 커피가 의미 없을 만큼 무거운 몸으로 보내며 무기력하고 공허해 늘 삶의 의미를 찾곤 하지만요. 어떨 때는 잠도 자지 않아도 되고 아이디어가 샘물처럼 솟아 매 순간 행복한 때가 있거든요. 지나치게 뜨거워 화상 입을 정도의 이 시기만 인지하고 활용하면 제겐 뜨거운 순간들이 바삭해질 수 있는 힘으로 작용합니다.

뜨뜻해진 붕어빵은 앉으나 서나 고민합니다. '내가 이 삶을 살아가는 것의 목적은 무엇일까' 하고 말이에요. 지금은 이렇게 결론을 냈습니다. 한 번도 뵌 적 없는 독자들에게 사랑을 전하고 싶어요. 제 글이 혹독하게 추운 날에 군불로서 역할을 했으면 좋겠습니다.

꿀꺽

질리도록 괴로운 문제가 있다.

제발 멈춰줬으면 하는 그것, 힘껏 누르지 못하면 내면의 바다에 깊숙하고 찐득하게 붙어있던 게 수면으로 올라온다. 우울하고 불쾌한 것이 커다래져서는 숨도 못 쉬게 집어삼킨다. 자아를 인식했을 때부터 시작되었다. 긍정적 답안을 찾을 수 있을 줄 알았다. 결국 스스로에게선 도출해 내지 못하였고 견디다 못해 도움을 구했다. 상담 센터도 여기저기 도장을 찍었고 책과 함께 사유하였고 사람들에게도 물었다. 결국 그렇게 찾고 싶었던 불편한 진실을 얻었다.

모순을 받아들이는 것이었다. 오랜 기간 괴롭혔던 의문이 풀렸다. 그러나 심장이 중력에 의해 밑으로 밑으로 끊임없이 당겨졌다. 무당이 내 눈엔 수살 귀가 있다고 했다. 지속해서 바다로 뛰어들고 싶은 충동은 정말 그래서였을 수도 있다. 답을 찾은 그 현장에서 마치고 바다로 가야겠다고 생각했다. 귀가하던 길 내일 당장 바다로 가야겠기에 기차표를 최대한 가까운 것을 끊었다.

남편 몰래 울었는데 그는 알고 있었나 보다. 내 마음을 보살피고자 옆에서 이리 끌어안고 저리 끌어안았다. 토닥토닥 따뜻하게 품어주었다. 다음날 바다로 가는 기차표는 무기력으로 가지 못했다. 스스로가 어디 가지 못하게 붙잡아 두기라도 한 듯 침대서 몸이 떨어지지 않았다. 화장실 가는 것도 귀찮았다. 온종일 내리 자고 나니 4일이 지났다. 먹는 약이 다 떨어져 가고 있었다. 아껴먹다 잊어버렸었는데 서랍에서 약봉지 3개를 발견했다. 무당이 이 약을 먹어서 내 신병이 누그러지는 거라고 한 게 생각이 났다. 이렇게 지속해서 뛰어들고 싶은 내 병은 정신병일까 신병일까.

파란 약 2개와 소화제 하나를 꿀꺽 삼키고 자고 일어나기를 반복.

　다시 남편을 위해 살고 싶어졌다. 귀여운 남편을 두고 어디 가기가 아까웠다. 사별자로 낙인찍힐 미래와 겪어봐서 아는 죽음에 대한 트라우마가 얼마가 그를 괴롭힐지 생각했다. 출근을 하니 무조건 내 편인 아빠와 지독하게도 나를 위해 희생하는 엄마도 보였다. 만약에 내가 세상에서 사라지면 이분들을 예비 살인하는 것이나 다름없었다. 새 세상을 열어주신 책방 작가님도 생각났다. 나를 아는 많은 분이 생각이 났다. 독서 모임 한 회원분의 말도 생각났다.

　　"결국 모든 것이 없어져도 남는 것은 사랑이다."

　　극한의 상황에 치닫고 깨달은 것은 사랑이었다. 그렇게 난 이 사유를 알약과 함께 꿀꺽 삼켰다.

물들지 않는 그림자

처음 그를 본 기억은 이렇게 떠오른다. 입꼬리를 씰룩씰룩 움직이며 수줍게 인사를 건네던 그는 살면서 본 사람 중에 제일 잘생겨 보였다. 사실 잘생긴 사람만 이성으로 느껴지는데 큰일이었다. 심장아 나대지 말라고 이야기해 놓았는데 걷는 것만 봐도 웃겼다. 그당시 친구를 사귈 때 기준도 웃긴 사람 아니면 안 됐었다. 7년 동안 지켜본 그는 내게 맑고 순수한 어린 왕자 같은 존재였다. 함께했던 긴 세월로 그를 알기에는 충분했고 연애를 시작한 순간 결혼도 함께 결심했다.

그는 '소우주'라는 닉네임으로 살고 있었다. 평행우주 속 무한대로 많은 붕어빵이 있겠지만 그중 내가 살고 있는 지구에서는 붕어빵이 결혼을 제일 잘했을 것이라 확신했다. 그의 평행우주 속에서는 어떨지 모르겠다. 왜냐면 여기 있는 붕어빵은 어둡기 때문이다.

춥고 어두운 세상에 빛이 한줄기 비추었다. 그가 나에게 손을 내밀어 주었기 때문이다. 빛과 어둠은 전혀 물들지 않는 존재인데 어둠은 빛의 영향을 받았다. 그의 손을 잡고 나오니 나의 어둠은 그림자가 되었고 한 줄기 빛으로 다가온 그가 곁에 있을 땐 그림자는 보이지 않았다. 그는 내 그림자를 물리쳐야 할 생각 이기라도 한듯 한시도 내 곁에서 떠나지 않았다. 그의 세상을 보여주었고 나는 매일 따뜻한 세상에 있을 수 있게 되었다.

맑고 깨끗한 그의 세상은 새로웠다. 얼룩져 있던 마음이 빨래라도 한 듯 깨끗해졌고 따뜻하고 밝아서 언제 어둠에 집어삼켜질지 무서웠던 마음도 편안해졌다. 모든 것을 보고 즐거워했고 그 세상으로 꼭 나를 초대했다. 맛있는 것이 눈앞에 있어도 내가 올 때까지 기다려 함께 먹었고 영화나 뮤지컬, 연극, 전시회도 나에게 같은 감동을 느끼게 해주고 싶어 했다. 몇 번이고 갔던 곳임에도 보여주고 싶어서 신나 하며 다시 갔다. 참 아름다웠다.

딱 반나절 그가 없이 지내보았던 그 때, 잊고 있었던 그림자가 드러났다. 반나절이었는데 점점 커져 나를 집어삼키는 커다란 어둠이 되었다. 여기서 벗어날 수 없었다. 더 무서워져 그가 나와 있다가는 이 세상에 삼켜질까 두려웠다.

어둠은 빛이 있는 동안은 그림자만 남겨두고 더 이상 나를 삼키지 못했다. 나는 다시 일어설 수 있었다. 빛의 도움을 받아 내 그림자를 세상에 드러내야겠다. 그리고 내 컴컴했던 세상에 밝고 따뜻한 세상이 비치는 과정을 보여줘야겠다. 그와 함께라면 물들지 않았던 그림자였다.

똘이씨 올 때 펩시 한 마리 부탁할게요

　원래는 강아지를 좋아하지 않았다. 유행 감정에 휩쓸려 무엇을 함께 좋아해야 하는 것이 싫었다. 먹방도 재미없었고 수지가 예쁜지도 않았고 치느님이라고 할 만큼 치킨이 맛있지도 않았다. 강아지와 고양이를 좋아하는 감정도 내겐 똑같이 감정노동이었다.

　이랬던 내가 우리 강아지들이 좋아질지 누가 알았겠는가.

　똘이와 펩시는 우리 집 귀염둥이 강아지들이다. 공식적으로 똘이는 엄마 자식이고 펩시는 남편 자식이다. 아빠는 물주 담당, 난 순간포착 사진 담당이다. 하우스에 사는 귀염둥이들은 매일 아침 출근하면 우리가 너무 반가워 정신을 못 차린다. 꼭 하우스를 몇 바퀴 돌아야 한다. 일을 하다가도 재롱부리러 오는 우리 아이들이 존재만으로도 힐링이 된다.

　똘이가 우리 집에 온 지는 7년 정도 되었다. 동생이 길거리에 떠돌고 있던 강아지를 데려왔다. 처음 며칠은 집안에서 지냈지만, 응가를 가리지 못해 밖으로 쫓겨났고 시골 여느 강아지들과 마찬가지로 줄에 묶여 지내게 되었다. 풀어달라고 매일 울었다. 낑낑거리며 우는 모습을 애써 모른 척하다 2년이 지난 후에야 목줄을 끊고 자유를 주었다. 그러자 세상을 다 가진 것처럼 하우스를 한 바퀴 잽싸게 돌았다. 그리고 제자리에 돌아와 또다시 한 바퀴 그 작은 발로 신이 나서 돌았다. 자유를 얻은 똘이는 작은 네발로 동네를 섭렵한 골목대장 강아지가 되었다. 엄마와 함께 해가 다 진 여름밤 저녁에 산책하러 나가면 앞집 강아지 미켈란젤로에게 꼭 뽀뽀한다.

천백이도 있다. 버려진 진돗개인 천백이는 천하다고 해서 '천백이'라고 이름이 붙었는데 어느샌가 절친이 돼버려 자주 우리 집에 뽀뽀하러 놀러 왔다. 미켈란젤로와 천백이가 받아주니 모든 강아지에게 뽀뽀해도 될 줄 알았나 보다. 부녀회장님네 진돗개 황순이에게 뽀뽀하러 갔다가 물려 죽을 뻔했다. 아랑곳하지 않고 걸어서 5분 거리인 우리 동네 제일 번화가 이조 상회 앞에 나가 재롱을 떨었다. 그러다 가게 아주머니께 발견되어 유기견 센터로 갔었던 웃을 수도 울 수도 없는 이야기도 있다.

그래서 정해진 장소에서만 귀여운 네발로 뚝딱뚝딱 시계추처럼 걸으며 자유를 누린다. 현재는 펩시와 하우스에서 생활하지만, 집에서 생활했을 땐 출근할 때 엄마를 지키며 일터로 걸어왔다. 그러다가 호기심에 못 이겨 저기 전봇대에서 냄새 한번 맡고 나오지도 않는 쉬를 한번 싸주고 나를 발견한다. 그러고는 세상에서 제일 빠른 속도로 부리나케 달려온다. 앞에 와서 신나게 재롱을 부리고 다시 까먹었던 엄마가 잘 오고 있는지도 확인차 엄마에게로 돌아간다. 우리 똘이는 내가 사랑하는 엄마를 가장 사랑한다.

똥이 이야기만 하면 펩시가 섭섭해할 것 같다.

처음 만난 날의 기억이 강하다. 코카스파니엘인데(똥이는 푸들입니다.) 생각보다 큰 덩치의 강아지가 나에게 달려왔다. 발 냄새를 이리저리 킁킁 맡더니 좋아라 나를 한 바퀴 돈다. 사실 사진에서만 보다가 실제로 보니 깜짝 놀랐다. 그리고 그 큰 솜방망이 발로 펄쩍 내 무릎으로 올라올 때마다 아팠다. 침도 많아서 밥만 먹고 있으면 침을 질질 흘리면서 안쓰럽게 쳐다보곤 했다.

펩시는 나와 남편 사이에 꼭 들어와서 자야 자기 마음이 편했다. 초창기 더블 싱글 크기 침대를 쓰던 우리 세 가족에겐 침대는 절벽이 돼버려 덕분에 긴장하고 잤어야 했다. 산책을 하면 많게는 응가를 6번을 쌌다. 응아 굵기는 사람 똥만 해서 치울 때마다 헛구역질하며 매일 산책을 시키곤 했다. 산책을 갔다 와서는 꼭 발을 씻겨주고 말려줘야 했다. 그리고 잠시도 가만히 있을 수 없었다. 눈길을 주지 않으면 어디선가 공을 물고 와 누워있던 내 얼굴에 던지거나 엉덩이를 얼굴에 대고 쿨쿨 코 골며 잠들곤 했다. 방금 응아 여섯 번 하고 온 그 엉덩이 맞다.

똥이가 하우스에 갇힐 때마다 어떻게든 구멍을 찾아서 우리를 쫓아오는 모습도 펩시가 간식을 씹지도 않고 삼키는 모습도 여기저기 응가를 해 숨바꼭질하듯 응가를 찾아 치워야 하는 내 신세도 이젠 모든 것이 다 사랑스럽고 행복하고 즐겁다. 펩시와 똥이는 엄마와 남편의 자식인 동시에 내게도 가족이 돼버렸다. 나를 귀찮게만 하던 우리 강아지들을 이렇게나 사랑하게 될 줄 몰랐다.

이제는 생각만 해도 침 나오는 치느님처럼, 내가 세상 여신 수지 님을 숭배하게 된 것처럼, 자기 전에 매일 먹방을 보게 된 것처럼 우리 강아지들도 내겐 더 이상 감정노동의 대상이 아니라 힐링 그 자체가 되었다.

에필로그

힘들 때 내 곁에 남아 있던 것은 책뿐이었다. 소심한 내가 다가오기를 책은 언제까지나 기다려 주었다. 책 한 권을 펼쳐서 기다려 주고 있던 글을 따라간다. 책이 울타리를 쳐주고 외부 세상으로부터 나를 지켜주었다. 책으로 충만해지니 작가에 대한 로망이 생겨서 글도 쓰기 시작했다. 글쓰기의 힘은 대단했다. 백지에 내 이야기를 채워가니 막혀있던 숨통이 트였다. 글쓰기는 오붓이 나를 만나는 시간이다.

따뜻한 포옹

- 민들레

엄마는 이토록 살갑지 않은 딸래미 집에 올 때마다 머리에
는 쌀자루를, 등에는 온갖 야채를 주렁주렁 달고, 손에는
애들 과자봉지를 들고 오셨다. 그랬던 엄마가 이제는 등이
굽고 다리가 오그라들어 잘 걷지도 못 하셨다. 씨앗을 다
터트린 박주가리 같은 엄마는 나를 볼 때마다 '고맙데이 고
맙데이' 하셨다.(113쪽)

서문

맨들맨들한 조약돌이 되는 시간

언제부터 돌을 품고 살았는지 모른다. 연세가 많은 부모님과 터울이 많이 지는 오빠들과의 소통이 안 되던 탓에 혼자서 모든 고민거리를 해결했어야 했던 어린 시절부터였는지도 모른다. 오랫동안 몸에 배인 '습' 때문에 결혼하고서도 모든 일을 혼자서 끙끙거리며 해결했던 탓에 돌덩어리는 점점 더 커져 갔다.

돌덩어리는 50세가 되자 내 가슴 속에서 버티지 못하고 삐죽삐죽 송곳 모양을 하고 삐져나오기 시작하더니 나를 무너뜨리기 시작했다. 돌덩어리를 빼내서 부셔버려야 하는데 방법도 용기도 없었다. 그냥 돌덩어리를 어르고 달래서 품고 살고 있을 즈음 책방지기 지금님을 알게 되었다. 그냥 책 읽는 것만 좋아했는데 무슨 용기로 글쓰기를 신청했는지 지금도 아이러니하다. 글쓰기 모임은 글을 잘 쓰는 동무들이 있어 주눅이 들었다. 하지만 매회 글동무들의 다독거림과 용기를 주는 덕에 조금씩 조금씩 내 돌덩어리는 부서지고 있었다.

아버지와의 해후, 엄마를 안을 수 없었던 시간들, 서로의 다른 점을 인정하지 못해서 서로를 갉아먹던 남편과 내가 글쓰기를 통해 맨들맨들한 조약돌이 되어 갔다. 언젠가는 이 조약돌마저도 가루가 되어 내 몸에 스며들어 훗날 나와 함께 재가 되어 날아가리라 희망을 걸어본다.

내 맘속의 돌덩어리를 들여다보고, 어루만지고, 부셔버릴 수 있도록 길을 열어주신 지금님께 감사드린다. 그리고 이제는 '아버지'라는 단어가 가슴 한편을 찌르지 않고 엄마의 손을 잡아 가슴 가득 안아 줄 수 있어서 감사하다.

농담과 진담 사이

　"내 오늘 대구 간대이. 저녁에 보자."

주인집 전화로 그가 연락을 했다. 젊은이의 약속 장소 1번지였던 대구 백화점 앞에서 만나서 호프집으로 갔다. 술이 취해서 분위기가 익어갈 무렵 그가 갑자기 슬픈 표정으로 말했다.

　"올해 12월에 사랑하지도 않는 사람과 부모님의 강요로
　결혼해야 된다."

　나는 그와 사귄 지도 몇 달 되지 않은 관계였지만 그런 그가 안타까워 '왈칵' 눈물을 쏟았다. 왜 울었을까? 술 탓이었을까? 어이없는 눈물 때문에 그와 결혼까지 가게 되었다.

　그리 길지 않았던 연애 기간을 보내고 결혼했는데 그는 나와 전혀 다른 성격의 소유자였다. 부모님의 결혼 강요도 날 꼬시기 위한 "뻥"이었다. 성질 급한 그는 작정을 하고 왔었고 난 그 작전에 넘어간 것이다.

　그는 어디를 가나 분위기를 주도 했고, 나서기를 좋아했다. 그런

그를 주변 사람들은 즐거워했다. 단지 나만 재미가 없었다. 그를 아는 사람들은 그와 사는 나를 부러워했다. 그럴 때마다 '당신도 이런 사람과 살아봐라 재미있는지! 집에서도 재미있는 남편 있는지 찾아봐라' 라는 생각을 하며 분노했다. 그리고 그가 가벼워 보이고, 채신머리가 없어 보여 나도 모르게 자꾸 지적하게 되고, 잔소리를 하게 되니 싸움이 되었다.

그는 점점 나와 합석하는 자리를 부담스러워하고, 눈치를 보는 듯했다. 나 역시 그와 같이 있으면, 그가 실수라도 할 것 같아 조바심이 나고, 남의 눈치를 보게 되고, 조심스러웠다. 그의 행동 하나 말 한마디가 못마땅하다 보니 내 입에서도 좋은 말이 나오질 않았다. 그는 점점 더 본인을 인정해 주지 않는 나로부터 멀어져 갔다.

그는 그를 인정해 주는 지인들의 곁을 찾게 되고 그를 좋아해 주는 사람들과 보내는 시간이 많았다. 그들은 그의 유창한 농담을 좋아하고, 시끌벅적한 분위기를 같이 즐기기를 좋아했다.

"형님이 최고입니다. 형님이 없으면 재미없어요. 친구가 최고야."
그들의 칭찬은 그를 기분 좋게 했고, 우쭐하게 만들었고, 즐겁게 했지만 그의 주머니는 점점 더 비게 만들었다.

난 점점 더 그와 살아가는 것이 힘들었고, 답답했다. 멀어져 가는 그와의 관계가 '회복'이라는 기대를 눈곱만큼도 가지지 못할 즈음 우연히 108배를 해보라는 권유를 받았다. 지푸라기도 잡고 싶은 심정이었던 터라 108배를 시작으로 300배, 1000배. 3000배를 무작정

했다. 누구를 위해서가 아니라 나를 위해서 절을 했다. 처음에는 절을 하는 것이 너무 힘들었지만 절을 하면 할수록 마음이 편안해졌다. 마음이 답답한 날에 팔공산 갓바위에 올라가 절을 하고 내려오면 해답을 얻은 듯, 가슴이 뻥 뚫렸다.

산에도 올랐다. 높은 산을 오를 때면 가슴에 쌓인 찌꺼기가 빠져나가는 것 같았다. 정상을 향해 꾸역꾸역 오르다 보면 그동안 고민했던 것도 별거가 아닌 게 되고, 그렇게 집착했던 것도 부질없음을 알게 되었다. 내가 무조건 옳다고 여겨지던 일도 내가 틀릴 수도 있음을 깨닫게 되었다. 서로의 다름을 인정하고 받아들이려 스스로 주술을 걸었다. 일렁이는 물결이 잠잠해지듯, 내 마음이 평온해지자 그와의 관계도 실금이 있던 항아리가 메워지듯이 조금씩 회복되었다.

그는 어떤 행동을 해도 좋아해 주고 인정해 주며 따뜻하게 품어 주는 엄마 같은 아내를 꿈꾸었는지 모른다. 그런 그를 나는 항상 못마땅해하고 밀어냈으니 자신의 설 자리를 잃었으리라. 남들을 즐겁게 해주고 재미있게 만들어 주는 것도 그의 능력이고 장점인데 어찌 나의 잣대에 비추어 그것이 나쁘다고만 했을까?

진담 80%인 나는, 농담 80%인 그와 35년을 함께 살았다. 그의 장난기 어린 행동과 말이 눈 한번 꾹 감아버리면 여러 사람을 즐겁게 할 수 있다고 생각하니 '그냥' 웃어넘길 수 있게 되었다. 요즘은 그와 사는 나를 부러워하는 시선도 즐기면서 살아 보는 중이다.

농담과 진담은 글자 하나 차이지만 진지함만 있으면 재미가 없고 농담만 있으면 싱겁다. 그래서 나쁘고 좋은 것과 무관하게 둘 다 소중해 보인다. 부부라는 이름으로 35년을 살아낸 그와 나 사이도 그래 보인다.

하얀 와이셔츠

아버지 앞에 서면 고양이 앞에 쥐 꼴이 되었다.

아침이면 어김없이 큰소리로 '숙아' 부르신다. 외침과 동시에 벌떡 일어난다. 안 그러면 불호령이 떨어지기 때문이다. 내게는 아버지가 호랑이보다 무서운 존재였다. 한 번도 아버지 무릎에 앉아본 적도 없고, 다정히 대화를 나누었던 기억이 없다.

7살, 12월 할아버지께서 돌아가셨다. 잔칫집에 가시거나 상갓집에 가시면 항상 손녀 둘을 위해 손수건에 떡이나 맛난 것을 싸 오시던 할아버지께서 돌아가셨다. 할아버지께서 돌아가시기 전의 내 기억은 온통 따뜻한 봄날로 가득 차 있었다. 할아버지의 무릎은 손녀 둘이 서로 차지하겠다고 다투었고 온기가 넘치는 커다란 할아버지의 눈은 항상 웃고 계셨다.

그런 할아버지께서 돌아가시고 난 후 낯선 아버지가 내 기억 속으로 들어왔다.

할머니께서는 열 명도 넘게 아기를 낳으셨는데 아버지와 삼촌만 살아남았다. 여럿의 자식을 잃은 할머니는 아버지를 애지중지하셨고 그 덕분에 아버지는 시골에서 부족함 없이 자라셨고, 일본에도 가서 공부도 하셨다.

아버지는 결혼 후에는 부산에서 직장생활을 하시고 엄마는 시골에서 시부모님을 모시고 농사를 지으면서 살아오셨다. 아버지께서 가끔 시골에 오셨다는데 9살 이전의 내 기억 속에는 아버지의 추억도 기억도 없다.

어느 날, 아버지의 존재가 내 기억 속에 들어오면서부터 긴장과 불편함이 연속되었다. 부모님은 오빠 둘을 낳으시고 늦은 나이에 나와 여동생을 낳으셨다. 늦게 본 자식은 눈에 넣어도 안 아플 만큼 예뻐한다던데 아버지께서는 밥 먹을 때는 밥 흘린다고 혼내셨고, 어디 갈 때는 걸음걸이가 늦다고 혼내셨다. 혼내시려고 존재하시는 것 같은 아버지가 무서웠고 너무 힘든 상대였다.

아버지는 귀향을 하시고 새마을 운동에 힘입어 집도 새로 지으셨고 농기구도 사들이셨다. 따뜻하고 포근했던 나의 유년 시절의 집은 사라지고 있었다. 할아버지께서 따 주시던 앵두나무가 사라지고, 겨울이면 사촌들과 눈싸움도 하고, 봄이면 단아한 꽃을 피우던 복숭아나무가 있던 밭도 추억이 되었다. 그곳에 새집이 우뚝 섰지만, 그 집은 추웠고 눅눅한 공기로 가득 차 있는 듯했다.

아버지는 도박을 좋아하셨다. 할머니는 어린 나의 손을 잡고 아버지를 찾아다니셨다. 그리고 도박판을 뒤집었다. 어린애였던 나는 아버지도 거기 있는 사람도 다 미웠다. 나를 끌고 가는 할머니도 이해

할 수도 없었다. 그런 상황을 맞닥뜨릴 때마다 어린 가슴은 충격으로 상흔을 남겼다.

아버지는 귀향 8년 차에 돌연 쓰러지셨다. 지병이었던 고혈압으로 중풍을 맞으셨다. 아버지의 쓰러짐과 동시에 빚쟁이들이 집으로 모여들었다. 할머니께서는 사과밭을 팔고, 논을 팔아서 아버지의 빚을 청산해 주셨다. 그때부터 할머니는 엄마를 더 볶아대기 시작했다. 평소에도 엄마를 못마땅해하시던 할머니는 엄마를 더 힘들게 하기 시작했다. 집안은 그야말로 전쟁터를 방불케 했다. 아무 죄 없는 엄마를 죄인 취급을 하는 할머니가 이해되지 않았고, 본인의 아들이 잘못해서 벌어진 일을 왜 며느리 탓을 하는지 도무지 알 수가 없었다.

사춘기였던 난 집을 떠나고 싶었다. 집을 떠나면 어디에 있더라도 집보다는 편안할 것 같았다. 고등학교를 진학해야 되는데 오빠들은 본인들 삶을 사느라 바빴고 엄마는 우리의 진학 따위는 신경 쓸 여력이 없었다. 할머니 역시 손녀의 진학 따위는 관심이 없었고, 그저 나가서 돈이나 벌어왔으면 하셨다. 돈을 좋아하시는 할머니의 발상은 그리 놀랍지도 않았다. 눅눅하고 컴컴한 동굴 같은 집에서 빠져나오고 싶었다.

아버지는 그런 상황을 만드신 것이 미안하셨는지 나를 볼 때마다 우셨다. 아버지의 눈물은 내 눈물을 만들었고, 무서움도 사라지게 했다. 아버지의 대소변을 받아 낼 때는 미안해하시는 아버지의 모습이 아파서 또 울었다. 아버지는 그렇게 3년을 누워 계시다가 돌아가셨다.

아버지는 돌아가시기 이틀 전에 내 꿈에 나를 보러 오셨다. 그 꿈을 꾸고 나서 하염없이 눈물을 흘렸던 기억이 난다. 돌아가시고도 몇 년 동안 아버지께서는 내 꿈에 자주 오셨다. 꿈속에서 예쁜 낙엽도 골라 주고 뭔가를 자꾸 주시는 꿈을 꾸었다. 아버지가 나오는 꿈을 꾸면 좋은 일 생겼다. 아버지의 사랑을 갈구하던 어린아이가 내 마음 한구석에 둥지를 틀고 있어서인지도 모른다. 미안해하시던 아버지께서 나를 도와주고 싶어서 영혼으로 오셨다고 믿고 싶었다.

하지만 아직도 아버지께서 왜 그리 나를 못마땅해 하셨는지는 궁금하다. 가끔 정 많은 속마음을 감추고 반항적인 말투로 투덜거리는 아들을 보면 나의 거울을 보는 듯해서 마음이 불편했는데 아버지 역시 나에게 당신의 모습을 본 것은 아닐까 짐작해본다.

개망초꽃이 흐드러지게 피고 논에서는 어린 모가 아버지를 기다리듯 농부를 기다린다. 하얀 와이셔츠 차림으로 자전거에 삽을 꽂고 논으로 가시던 아버지가 그리워지는 계절이다.

씨앗을 다 터트린 박주가리

키가 자그마하고 얼굴이 뽀얀 엄마였다.

엄마는 산 너머 적당히 부잣집에 시집을 왔다. 남편은 하얀 손을 가진 멋쟁이 남자였다. 결혼하고 남편은 부산으로 떠나고 하얀 얼굴의 엄마는 시부모님과 농사를 지으며 살았다. 엄마는 일이 서툴렀고 마음이 여렸다. 힘든 시댁 생활을 이기지 못해 첫째 아이를 부둥켜 안고 친정으로 도망갔지만 시어머니의 간곡한 부탁으로 다시 산 너머 집으로 돌아왔다.

중학교 2학년 겨울 무렵 아버지께서 쓰러지셨다. 도박을 하셨던 아버지 탓에 집은 빚쟁이들로 난장판이 되었다. 엄마는 할머니에게 매일 같이 시달렸다. 아들이 저지른 일을 왜 엄마에게 그러는지 이해도 안됐지만 당하고만 있는 엄마가 더 답답하고 짜증이 났다. 할머니에게 당하지만 말고 대들지 왜 그러냐고 하면 엄마는

"늦게 낳은 딸 둘 때문에 죽지도 못 하고 산다."

하시면서 우셨다. 불쌍한 엄마를 끌어안고 같이 울었지만, 엄마가 답답했다.

엄마는 억척스럽게 변했다. 조그마한 체구에서 나오는 힘은 천하장사였다. 아들 집에 갈 때면 이고 지고 매고 주렁주렁 달고 간다. 조카들은 그런 엄마를 '할매는 천하장사다.' 라고 했다.

무엇이 엄마를 뽀빠이로 만들었을까? '엄마'라는 타이틀이 그렇게 만들었을까?

창고에는 쌀이 가득했고 할머니 주머니는 항상 두둑하셨다. 할머니는 혼자 부자셨고 엄마는 항상 쪼들리셨다. 옷 하나를 사는 것도 할머니의 허락을 받아야 했고, 우리가 돈이 필요해서 달라고 하면 선 듯 줄 수 있는 돈이 없었다. 집안에서 엄마 맘대로 할 수 있는 것은 아무것도 없었다. 그래서 엄마는 밭이나 논으로 할머니의 눈이 없는 곳을 찾아다니며 일만 하셨다. 할머니는 엄마가 편히 쉬는 것을 못 보시고 엄마를 볶아댔다. 할머니께서는 유독 엄마에게만 모질고 인색하셨다. 방물장수나 손님이 오면 꼭 식사를 하고 가게 하셨다. 겨울철이면 동네 할머니들은 우리 집에 오셔서 놀았다. 그럴 때면 가마솥에 고구마를 가득 삶아서 간식으로 드시면서 놀았다. 남한테는 후하신 할머니는 유독 엄마를 못살게 구셨다.

중3이 되었지만 할머니는 나의 진학 따위는 신경도 안 썼다. 여자가 많이 배워서 뭐 하냐고 하시면서 아버지에 대한 화풀이를 엄마와 어린 두 손녀에게 했다. 공부보다 나가서 돈을 벌어오기를 바랐다. 오직 돈뿐이었다. 할머니는 작은아버지가 오시면 창고에 있는 쌀도 주머니에 있는 것도 다 주시면서 우리에게는 인색하셨다. 그렇게 해도 엄마는 가슴만 치시고, 아무 말도 못 하시고 일만 하셨다.

엄마가 불쌍했다.
엄마가 답답했다.
엄마가 미웠다.
할머니가 미웠다.
집을 떠나고 싶었다.

같은 반 친구가 산업체 학교에 가자고 했다. 거기가 어떤 곳인지 모르지만 부모님 도움 없이도 공부할 수 있다는 소리에 가기로 했다. 담임선생님께서는 몇 번이고 불러서 거기 가면 힘들어서 공부 못한다고 만류하셨다. 귀에 들어오지 않았다. 오직 컴컴한 동굴 같은 집을 떠나고 싶었다. 답답한 엄마를 보지 않고 호랑이 같은 할머니를 보지 않으면 될 것 같았다.

엄마는 아무 말도 안 하셨다. 사실은 엄마가 한 번쯤은 날을 위해 할머니에게 대들어서 진학 문제를 해결해 주었으면 했다. 그러면 꼭 산업체가 아니더라도 대구에 있는 상업고등학교쯤 갈 수 있지 않을까라는 생각도 했다. 편찮으신 아버지는 어눌하신 말로 대구에 있는 상업고등학교로 가라고 하셨다. 그 순간 눈물이 왈칵 쏟아졌지만 할머니와 엄마는 아무 말을 하지 않았다. 그렇게 해서 산업체 고등학교로 갔다.

힘이 들었다. 같이 간 친구는 1학기를 하고 집에 간다며 같이 가자고 했다. 나도 같이 가고 싶었지만 엄마 얼굴이 자꾸 떠올라 갈 수가 없었다. 내가 가면 또 엄마는 근심거리가 늘 것만 같았다. 3년을 버티고 졸업했다. 입시 공부를 제대로 하지 않은 채 대학입시 시험을 봤다. 떨어졌다. 3년 동안 엄마에게 얼마를 보내고 남은 돈을 모아 둔 것으로 재수를 했다. 입학금이 없었다. 엄마에게 논이라도 팔아서 달라고 떼를 썼다. 논은 오빠들 몫이라 안 된다고 했다. 야속했다. 한 번 더 절망스러웠다. 엄마가 원망스러웠다.

엄마는 표현이 서툴렀고 말도 없었다. 우리 엄마가 맞나 싶을 정도로 우리에게 무심했다. 이웃 사람들 말로는 별난 시어머니에게 너무 당하고만 살아서 그렇다고 했다. 좋은 일에도 그리 기뻐할 줄도 모르시고, 나쁜 일에도 그리 낙담하지 않았던 젊은 날의 엄마와 초로에 접어드신 엄마는 사뭇 달랐다. 할머니께서 돌아가시고 여유가 생기면서 정 많고 베풀기를 좋아하는 엄마 본연의 모습이 엿보였다. 시골에도 택배가 생기면서 엄마는 택배 보내는 재미에 푹 빠져 감이며 채소 등을 친척이나 자식들에게 보내셨다. 나누어 먹는 것을 좋아하는데 못하고 살아온 것이다. 내가 어릴 때 무관심으로 보였던 엄마 모습은 지친 삶으로 무력해진 모습이었던 것이다. 엄마는 고달픈 삶을 어떻게 바꾸어 보겠다는 생각을 접고 담담하게 숙명적으로 받아들이며 살아오신 게 아닌가 싶다.

결혼하고 애를 키우면서 친정엄마처럼 되지 않으려고 최선을 다했다. 할 수 있는 만큼 애들에게 쏟아부었지만 그래도 자식들은 불만이 있었다. 나도 그런 것이었나?

엄마는 엄마 나름대로 최선을 다했는데 내가 원하는 기대를 정해두고 만족을 못 한 건가? 어쩔 수 없는 상황이라서 그러셨는가?

이런 생각을 할 때쯤 엄마는 내가 돌봐야 될 아이가 되었다.

고생을 많이 하신 탓에 걷는 것도 불편하시고 금방 했던 것도 잊어버리는 탓에 약을 중복해서 드시는 바람에 응급실에도 몇 번 실려 가셨다. 더 이상 혼자 계실 수가 없었다. 엄마는 나이 많은 며느리는 불편해 하시고 옛날 분이라서 사위 집도 불편해하셔서 지금은 노인 가족공동체라는 요양원에 계신다. 우리를 마음 편하게 하려고 그러시는지 정말 편해서 그러시는지 엄마는 뵈러 갈 때마다 이런 말씀을 하신다.

"해주는 밥 먹고 빨래도 다 해주고 세상 편하다. 이제 촌집에 가서 살아라 해도 못 살지 싶다. 촌에 내 혼자 있었으면 벌써 나는 죽었을 끼다."

딸인 내가 엄마의 말을 진심으로 믿고 싶은 것은 양심의 가책을 덜기 위함일지도 모른다.

'내 새끼들이었다면 저렇게 두고 올 수 있었을까'

라고 가끔씩 반문을 해본다. '내리 사랑은 있어서 치사랑은 없다'라는 속담은 나 같은 사람을 두고 한 말임에 틀림 없다. 우리 집에 가자면 오실 엄마도 아니지만 내가 자신이 없어서 선뜻 엄마에게 손을 내밀지 못하는 나 자신이 가증스럽기도 하다.

그렇게 말도 없고 조용하시던 엄마가 요즘은 욕도 하신다. 내가 가면 이런 말씀도 하신다.

"느그 둘 안 낳았으면 우짤삔 했노!"

느지막이 딸 둘을 낳아서 천만다행이란다. 옛날 분인 엄마는 아들들을 짝사랑 하셨지만 아들들은 책임감만 강할 뿐 얼굴도 잘 보여주지 않고 전화도 잘하지 않아서 엄마는 속상해하신 듯했다.

한 달에 한 번 찾아뵐 때마다 엄마는 엄마를 힘들게 하신 할머니 욕을 하신다.

"할마시가 나를 잡아 댕길 때 내가 확 밀어 뿌었어야 했는데."

하시면서 열을 내신다. 처음에는 돌아가신 분 욕해서 뭐하냐고 했지만 그렇게라도 해서 맘이 풀리는 것 같아서 요사이는 그냥 듣고 만 있다가 온다. 그렇게라도 해야 겨울에도 답답하다며 겉옷을 훌 훌 벗어버리는 엄마의 속에 차 있는 화가 조금은 사그라지지 않을까 생각된다. 후회도 되시는 모양이다. 그때 할머니를 못 이겨서 자식들 을 고생시킨 것 같다고 하신다. 그런 엄마가 아직도 덥석 끌어안는 것이 어렵다.

'돌아가시기 전에는 꼭 안아 드려야 되는데 ....
이번에 뵐 때는 꼭 안아드려야 하는데. '

마음은 앞서는데 손을 쓰다듬는 것도 쉽지 않다. 손도, 등도, 볼도, 쓰다듬고 싶은데 손이 선뜻 나가지 않는다. 엄마를 뵙고 돌아서면 항 상 후회를 하지만 참 쉽지가 않다.

엄마는 이토록 살갑지 않은 딸래미 집에 올 때마다 머리에는 쌀자루를, 등에는 온갖 야채를 주렁주렁 달고, 손에는 애들 과자봉지 를 들고 오셨다. 그랬던 엄마가 이제는 등이 굽고 다리가 오그라들어 잘 걷지도 못 하셨다.

씨앗을 다 터트린 박주가리 같은 엄마는 나를 볼 때마다 '고맙 데이 고맙데이' 하셨다.

에필로그

햇살 좋은 날엔 하얀 책상보를 씌운 앉은뱅이 책상에 앉아 책 읽는 흉내도 내어 보았고, 얕은 손의 기술로 화가의 꿈도 꾸었다. 결혼과 동시에 헛간에 던져 놓았던 내 바구니를 끄집어내어 내 꿈을 차곡차곡 담는 중이다. 식물을 가꾸고, 그림을 배우고, 책을 읽고, 글을 쓰며 나를 안아 준다. 예전에는 살아가기 위해 무언가를 배우고 익혔지만, 지금은 그냥 좋아서 한다.

그래서 누군가 '다시 젊은 시절로 돌아갈래?' 라고 묻는다면 당연 '노' 라고 한다. '50이 되면 무슨 재미로 살까?' 라고 생각하던 젊은 시절이 떠올라서 피식 웃음이 나온다.

말로 담아낼 수 없는 것들

- 샘물

음식 냄새가 퍼지면 동생과 함께 입을 '아' 벌리며 할머니 곁으로 몰려든다. 한 개씩 떠먹여 주시며 애정이 담긴 목소리로 불러주신다.

"아이고, 우리 제비주디들."

지금 생각하니 할머니는 시인으로 태어나셔야 했다.(122쪽)

서문

새소리 같은 글이면 좋겠습니다

끝없는 들판이 펼쳐진다. 내가 사는 대륙은 온통 짙은 녹색 빛이었다. 거대한 산이 대륙을 반으로 크게 가로지른다. 그 웅장함은 여운이 되어 좌우로 뻗어 나간다. 젖혔던 고개를 바로 세운다. 우뚝 솟은 줄 알았던 산맥은 바닥으로 깊이 난 협곡이었다. 협곡의 좌우는 그랜드캐니언의 거친 질감과는 대조적으로 매끈매끈하다. 암벽등반가의 손으로는 정복할 수 없게 만든 매끄러운 절벽에서 기묘하게 자연의 위대함을 느낀다.

바닥만이 하얀 세상이었다. 이따금 검은 그림자가 머리 위를 드리운다. 먹구름도 아닌데 거대하다. 햇빛에 반사되는 표면이 사자의 갈기를 연상하게 한다. 나무를 쪼개는 것 같은 번개의 묵직함과는 다른 예리하게 날카로운 괴성이 무섭게 협곡을 울렸다.

세월이 흘렀다.

집을 나선다. 산책로가 이어진다. 햇살이 비치고 뻗어난 길 양

옆으로 연둣빛 물결이 인다. 허리만큼 올라온 덤불 속에서 참새들의 지저귐이 들린다. 가사를 알 수 없지만, 사랑을 주제로 하고 있다.

새소리에 이끌려 덤불로 다가선다.

작은 몸짓들이 덤불 속에서 분주히 움직인다. 주위를 둘러보다 익숙한 짙은 초록이 보인다. 덤불로 우거진 세상은 무수한 대륙으로 덮여 있었다. 무수한 사람의 삶이 빼곡히 걸려 있었다.

작은 나뭇잎 하나만큼이 나의 세상이었다.

덤불 사이의 간격은 공기가 희박할 정도로 좁은데, 왜 그때는 보지 못했을까.

끝없는 들판은 잎몸을, 거대한 협곡은 잎맥을 상징합니다. 사자의 갈기로 괴성을 지르며 나뭇잎의 세계를 공포로 떨게 했던 존재는 참새였습니다. 나뭇잎의 광활함이 느껴지는 시점에서 벗어나며 참새를 마주합니다.

참새는 귀여우면서 우아합니다. 모든 이들이 참새의 괴성이 아니라 아름다운 노랫소리를 들을 수 있기를 바랍니다.

저는 새를 좋아합니다. 자유롭게 날아다니는 모습에 묻힌 새의 아름다운 소리를 더 좋아합니다. 보이지 않아도 위협적이지 않고 노래 자체가 주는 청량감, 화사함, 포근함이 있습니다.

제 글도 누군가에게 새소리 같았으면 좋겠습니다.

귀를 기울이게 되는 아름다운 노래로, 시선을 돋우는 가벼운 배경음악으로, 누군가에게는 청음되지 않는 무음일지라도.

우리 손주 언제 오노

눈을 감는다. 방파제가 바다를 가르듯, 죽음이 삶을 가른다.

방파제가 가로지를지라도 파도는 거세게 부딪힌다. 나는 바다가 되련다. 거센 파도가 되어 힘껏 부딪힐 것이다. 할머니 기억이 가득 담긴 물방울들이 튀어 올라 방파제 너머를 흥건히 적실 때까지. 그러면 더는 방파제도 바다를 가를 순 없겠지.

할머니가 보인다.

"왔나?"

동생과 함께 어머니 손을 잡고 온 우리를 반가운 목소리로 맞아주신다. 세상에서 가장 사랑하는 나의 할머니. 할머니가 사시는 집은 크고 좋았다. 우리는 작은 방에서 짐을 풀고 이야기를 나눴다. 할머니는 오랜 시간 가사도우미로 생활하셨다. 가끔 방문을 드리고 잠을 자고 왔다. 헤어지는 시간은 언제나 아쉬워 손을 흔들며 눈물을 흘렸다.

아버지는 이따금 건설 현장에 데려가시며, 부푼 가슴으로 말씀하셨다.

"이 건물이 앞으로 우리 집이 될 거야."

초등학교 3학년, 3층 집으로 이사를 했다. 집에는 장작을 피울 수 있는 벽난로, 양팔을 뻗어도 안을 수 없었던 전축, 천장에 닿을 듯한 괘종시계가 생겼다. 여유로웠던 생활은 얼마 지나지 않아 막을 내렸다. 초등학교 5학년, 이사를 해야 했다.

모든 것이 쪼그라들었는데, 전축과 괘종시계만이 훌쩍 자라있었다. 어머니는 일을 시작하셨다.

'할머니와 살게 해주세요.'

빈자리는 할머니로 채워졌다. 염원하던 나의 소망이 이루어졌다. 잠을 자고 일어나서도 할머니가 눈앞에 있다는 사실에 기뻤다.

눈도 뜨지 못한 채 일어나면 할머니가 목에 수건을 감아서 고양이 세수를 해주셨다. 세면대에 따뜻한 물을 받으시고, 150cm의 키에 비례하는 작은 손바닥으로 몇 번이고 뽀드득 씻겨주셨던 기억이 난다. 개운하게 세수하고 얼굴에 로션을 발라주셨다. 어린 시절의 기억 덕분인지 어른이 되어서도 로션을 발라주면 사랑받는 기분이 들었다.

방과 후 배가 고프면 간식으로 감자튀김, 오징어튀김, 배추전, 깻잎전, 김치전을 자주 먹었다. 모두 할머니가 떠오르는 음식이다. 음식 냄새가 퍼지면 동생과 함께 입을 '아' 벌리며 할머니 곁으로 몰려든다. 한 개씩 떠먹여 주시며 애정이 담긴 목소리로 불러주신다.

"아이고, 우리 제비주디들."

지금 생각하니 할머니는 시인으로 태어나셔야 했다. 다정한 말로 우리 남매가 바르게 자랄 수 있는 사랑의 뿌리가 되어 주셨다.

학년이 올라갈수록 집 밖에서 머무는 시간이 많았다. 고등학생 때는 온종일 학교와 학원에서 보냈다. 대학생이 된 후 묶여 있던 시간을 보상받으려는 듯 친구들을 만났다. 취업을 준비하며 역마살이 낀 사람처럼 타지와 타국으로 다녔고, 할머니와 나눈 대화는 "밥 먹었나?"로 시작하는 짧은 통화가 전부였다.

할머니는 중풍과 갑작스러운 호흡곤란으로 두세 차례 응급실에 실려 가셨다. 마음의 준비를 하라는 이야기를 들었을 때, 가슴이 철렁했다. 다행히 건강이 호전되어 집에서 생활하실 수 있었다. 거동이 불편해지신 후 베란다 창밖을 보며 하루 대부분을 보내셨다.

아이처럼 혼자서 하실 수 없는 일이 많아졌다.

할머니의 식사를 챙겨드리고, 화장실을 가실 수 있도록 부축해 드렸다. 매번 잊지 않고 말씀해 주신 "고맙다." 한마디가 가슴을 아리게 한다.

당시 부모님은 생계로, 나는 취업 준비로 여유가 없어져 요양병원에 모시게 되었다. 한동안 바쁘다는 핑계로 문안 인사를 드리지 않았다. 뒤늦게 찾아뵈었지만, 오히려 환한 미소로 나를 맞이해 주신 할머니께 죄송한 마음이 들었다.

"네가 손주가? 할미가 아파서 누워있는데 이제야 오나?"

하며 병실에 있던 어떤 할머니께서 핀잔을 주셨다. 마음의 여유가 없어 그 말을 흘려듣지 못하고 상처가 되었다. 다시 한동안 방문을 드리지 않았다.

평소와 같은 어느 날 어머니께서 전화를 주셨다.

"빨리 병원으로 와라. 할머니 돌아가셨다."

가슴이 내려앉았다. 떨리는 몸으로 병원 문을 열었을 때, 할머니께서는 더는 나를 맞아주시지 않았다. 그렇게 할머니의 임종도 지키지 못했다. 죄송스러운 마음에 하염없이 울었다. 정신없이 상을 치렀다. 그렇게 슬픔을 묻어두었다.

　몇 달 뒤 친구를 만났다. 오랜만에 만나 근황 소식을 나눴다. 자연스레 할머니 이야기를 꺼내게 되었고, 위로하는 친구의 말이 이어졌다.
　"괜찮아, 이제 많이 나아졌어."
애써 웃으며 태연한 척했다.

　"그게 괜찮아져?"

의아한 듯이 내게 물었다.

　　'아차, 괜찮아질 수 없는 일이지.'

　정신이 번쩍 들었다. 그 번뜩임을 시작으로 모든 할머니는 나의 할머니가 되었다. 오늘은 어릴 때 자주 듣던 할머니 목소리가 들렸다.

　"우리 손주 언제 오노"

　그날 할머니는 나를 기다리고 계셨다. 창문 너머로 눈이 마주치면 좋아서 쫓아 들어갔다. 할머니는 내가 보고 있던 보고 있지 않던 언제나 나를 보고 있었다.

나는 할머니가 돌아가시고 오랜 시간이 흐르고 나서야 할머니를
보고 있다.

아버지의 등

아름다움은 세월이 묻어야 모습을 드러낸다.

설익은 청년의 등은 메타세쿼이아와 같이 곧다. 하늘에 닿기 위해 굽지 않은 등은 젊음의 상징이다. 청춘은 눈빛이 아니라 등의 곧바름에서 나오는지도 모른다. 안타깝게도 둥근 지구에서 태어나 곧바름은 시기 질투의 대상이다. 굴곡진 삶은 질투의 대상을 관통한다.

청춘의 등은 부지불식간에 대칭의 아름다움에 발을 들인다. 생애 동안 보아온 아버지의 등이다.

"어른 두 명이요."

아버지와 짝을 맞춰 입장한다. 신발은 신발장에, 옷은 옷장에 가지런히 놓는다. 수건과 샤워타월을 두 개씩 챙겨 문을 열고 들어간다.

다른 세계로 들어온 듯 후덥지근한 공기가 몸을 감싼다. 적당한 자리에 목욕 바구니를 놓고 샤워를 한다. 어렸을 때부터 아버지 뒤를 따라 사우나실, 냉탕, 온탕을 누볐다. 그래서 어른이 된 지금도 아버지 곁을 잘 따르는 것 같다.

찬물의 시원함이 가시기 전에 사우나실 문을 열고 들어간다. 숨쉬기 편한 건식 사우나실이다. 나무 의자에 나란히 앉는다. 분홍색 모래알을 뒤집으면 게임은 시작된다. 모래알이 감질나게 떨어진다. 곧 찬물의 시원함은 온데간데없고 이슬 같은 땀방울이 송골송골 맺힌다. 흘린 땀만큼 건강해진다는 믿음으로 막혀있는 땀구멍을 닦아낸다.

손이 닿지 않는 등은 서로 문질러준다.

민들레 씨앗을 보면 불고 싶어지는 것처럼, 아버지 등에 맺힌 땀을 보면 손으로 닦아내고 싶어진다. 미끄덩 소리가 들리는 듯하다. 등을 긁어 드릴 때 이외에 자발적으로 아버지 등을 만졌던 순간을 더듬어본다.

어릴 적 우리 부모 세대가 처했던 '먹고살기 바쁜 세상'은 부자 간에 거리를 좁혀주지 않았다. 미끄덩은 그 세상이 넘어지는 소리인지도 모른다. 가로막힌 벽이 사라지고 아버지와 한층 가까워진다.

아버지 한번, 나 한번, 발맞추어 걷듯 서로의 등을 닦아준다.

갑갑함이 몸장을 흘러넘칠 때, 문을 나선다. 아버지는 풍덩, 나는 심장마비가 걸릴세라 발끝부터 천천히 담근다. 폭포수로 한차례 몸을 식히고, 온탕에서 몸을 지진다. 목이 잠길 정도로 몸을 담그고 나란히 앉은 상태에서 나누는 대화에 친밀감이 더해진다.

목욕 의자에 걸터앉아 수건을 반으로 접고 또 접는다. 접은 수건을 청색 때타월 안에 꾸깃꾸깃 넣는다. 빵빵해진 모양새가 권투 글러브를 연상시킨다. 이렇게 하면, 적은 힘으로도 쉽게 밀 수 있다. 청색 글러브는 내가 자부심을 느끼는 우리 집 전통이다.

타지에 사시는 아버지를 오랜만에 뵐 때면, 매일 샤워를 하셨는데도 내 양손은 분주히 아버지의 등을 누벼야 했다. 아버지의 등은 뿌리박힌 나무처럼 미동이 없다. 덩이진 근육들이 오래된 소나무 껍질의 불룩함을 연상하게 한다. 새삼스레 아버지의 존재감이 느껴진다.

어느덧 아버지보다 더 높은 곳에 시선이 닿지만, 아버지의 존재감을 넘어서진 못한다. 존재감은 단순히 키 높이에 기인하지 않는다. 높이를 압도하는 것은 세월의 풍파를 견뎌내 온 묵직한 두께감이다.

아담의 사과

　바위는 엉덩이를 띄우지 않는다. 날아다니는 다람쥐가 참새이듯, 영원히 사는 나무는 바위이다. 나무처럼 자리를 틀고 앉으면 이동도 하지 않는다. 바위는 나이테가 없지만, 그 형상보다도 세월이 주는 무게감이 더 무겁다. 나는 그런 바위 같은 사람이다.

　백 년을 훌쩍 넘은 노인은 아니지만, 얼굴 너머에 보이는 모습이 나이보다는 꽤 진중해 보인다. 나이와 대비되는 진중함이 한 해 한 해 쌓이며 어느 순간 바위 같은 사람이 되었다. 얼떨결에 극단적이며 중립적인 가벼움과 무거움의 모순에 발을 들였다.

　　나의 모순은 말에서 시작된다.

　어린 시절 선생님을 놀리던 짓궂은 학생은 말이 참 많았다. 잠자는 동안 말을 축적했다가 낮 동안 모두 소진해야 잠을 잘 수 있는 사람처럼 무언가 말을 하고 싶었다. 말을 속에서 비워내는 후련함에서 오는 것인지, 말을 뱉으며 소진되는 에너지에서 오는 것인지, 가벼움으로 충만한 어린 시절이었다. 야들야들한 소년의 목젖에서 듬직한 어깨처럼 벌어진 아담의 사과를 처음 만졌을 때만큼, 가벼움에서 의도하지 않은 무거움으로의 전환이 어색했다.

가슴속에서 올라오는 말들은 목에 걸린 사과로 목구멍을 넘어서지 못했다.

그렇게 말수는 부쩍 줄어들었고, 나를 드러내는 순간이 줄어들었다. 반 제일 앞자리에서 신이나 고래고래 소리를 지르던 아이는, 구석진 자리를 찾게 되었다. 구석진 자리는 누가 규칙을 정한 것도 아닌데, 발언권이 없다. 발언권이 없는 자는 들어야 한다. 나의 무거움은 묵언하는 수행자의 모습과 닮았다.

말수가 줄어들면 생각은 무거워진다. 생각의 무거움이 나를 바위로 만드는 근원이다.

말을 한다는 것은 생각의 열기구에 달린 모래주머니를 버리는 일이다. 그만큼 생각이 가벼워진다. 생각의 범위는 일상적인 대화를 넘어선다. 마음속 깊은 감정과 상처, 펼쳐보고 싶은 감성, 새롭지만 엉뚱한 생각들은 대화로 풀어내기가 쉽지 않다. 일상적인 대화로 덜어낼 수 있는 모래주머니에는 한계가 있다.

이런 열기구들은 글로 모래주머니를 버림으로써 가볍게 만들 수 있다. 가벼워진 만큼 자유로워졌다. 생각지도 않게 글쓰기를 시작하고 나서 알게 된 사실이다.

글쓰기는 한순간 떠오르고 지는 생각을 포착하는 카메라 같다. 찍어 놓은 사진을 보듯, 생각을 들여다본다. 글을 적을 때의 묘미는 생각이 형태를 보이게 되는 순간이다. 보일수록 퍼즐을 맞춰보고 싶어진다. 생각이 떠오르는 한 수북이 쌓인 모래주머니는 언제든지 나올 것이다. 이제는 모래주머니가 반가워진다.

거울을 본다. 아담의 죄를 잊지 않기 위해 목에 남겨두었던 아담의 사과는 지금 나에게 어린 시절의 가벼움을 잊지 말라고 이야기한다.

에필로그

말은 의미 없는 소리의 나열이 되기 쉽습니다.

공기보다 가벼워 나타남과 동시에 사라지는 말에,
사모하는 할머니, 존경하는 아버지, 그리운 유년 시절을 담을 수는 없
었습니다.

글을 쓰며 마주하지 않은 것들을 만났습니다.
뜻밖에 사소함에서 가늠해 볼 수 없는 의미를 발견하는 순간이었습니
다. 영속성이 없는 말로 담아낸다면, 애써 찾은 소중한 마음이 사라
질까 두렵습니다.

정성스레 글에 담은 것들을 내어드립니다.

자극과 반응 사이

- 봉숭아

지금은 마음을 열고 들을 수 있는 기혼녀의 고민을 그때는 들어주지 못했다. 그녀의 든든한 대나무 숲이 되어 주지도 못했다. 이제 갓 성인이 되어 시작하는 여대생의 풋풋한 연애 이야기가 설렐 때 Y의 생활은 다른 세상에서 들려오는 자극적인 가십이 될 뿐이었다.(140쪽)

서문

애정을 담아 다정하게

고작 며칠 전의 기억인양 생생하다. 차가워진 겨울 공기를 느끼며 들어선 카페에서는 당시 진행하던 책방 프로그램 이야기가 한창이다. 생각만으로도 즐거운지 웃음을 띠며 연신 [군불 글쓰기]의 항의를 전하던 책방지기 〈지금〉님의 모습은 아마도 지난 시간의 온기를 다시금 느꼈기 때문일 것이다. 다음 기수의 진행 여부를 놓고 고민하는 듯, 그녀는 허공을 가만히 응시하고는 '하지 않으려 했다'는 생각을 뒤집고 "해야겠다" 하며 그날의 공지 사항을 기민하게 알렸다.

'글쓰기 한번 해볼까?'

작문은 부담되었다. 설익은 감정의 문장을 적어 낯선 타인과 공유한다는 것은 거부감이 들었다. 자아 탐구형 일기를 쓰는 나로서는 자칫 판도라의 상자를 섣불리 열게 되는 것은 아닐지 주저했다. 그럼

에도 불구하고, 금방이라도 마감될 듯한 긴박한 공기의 흐름 때문이었을까? 엉겁결이면서도 필연적인 이끌림으로 시작하게 되었다.

"때가 되면 만난다"라는 인연설을 믿는다. 서로를 당겨주는 보이지 않는 기운의 힘을 믿는 편이다.

나의 선택이 있기까지 구성된 인과의 현상들은 나의 몫이 아니었다. 그렇기에 글동무와의 만남이 더욱 경이롭게 다가온다. 같은 애호가 있는 사람들끼리 연결될 수 있었던 고리는 정성을 들여 자기를 안아 주는 책방지기와 그녀를 닮아 포근한 아랫목 덕분이다. 저마다의 사정 속에서도 공들여 준비한 모든 이의 마음이 모이자 비로소 [군불 글쓰기]가 완성되었다.

글을 쓰며 상황을 곱씹어 보고, 내 글을 탐독해 준 타인의 해석을 통해 생각의 변천과 재해석의 가치를 발견했다. 혼자서 고민했던 시간은 나를 안아 주는 따뜻한 과정이지만은 않았다. 상상도 못 한 일화를 쓰기도 했고, 내심 기획했던 소재가 아닌 의외의 글을 쓰기도 했다. 미리 준비했더라면 탄생 못 했을 우연의 산물이다.

머릿속 뿌연 안개 같은 이야기들을 쓰겠다는 다짐도 한다. 특히 가족의 에세이를 언젠가 남길 것이다. 자기 연민에 빠져 무겁지 않게, 때로 방관하듯 담백하고 편안하게 그렇지만 인물을 바라보는 시선에 애정을 담아 다정하게.

16주간 함께 한 글동무들이 꺼내 보여준 그들의 마음속 이야기와 합평 덕분으로 겨울이 훈훈했다. 서로 덕담하듯 나누었던 '꿈보다 해몽' 한 마디는 떠올릴 때마다 그날의 훈기로 마음이 따뜻해질 테다. 〈지금〉님에게서 보았던 그 미소가 어느덧 내게도 번져온다.

미혼과 기혼 사이

Y는 임신을 계기로 갑작스레 결혼을 알렸다. 내 생애 처음 들었던 친구의 결혼 소식이다.

부잣집 사모님이 되어버린 그 길로 소식마저 뜸해졌다. 적당히 비슷한 집안에 시집가 살았으면 종종 만날 수 있지 않았겠느냐는 친구 무리의 푸념은 지나고 보니 영악해지기 시작한 그 시절의 허영과 그녀를 향한 자격지심이기도 했다. 그렇게 언젠가부터 궁금해하지 않는 사이가 되었다. 그저 잘 살기를 바라며, 친구가 속한 세상이 달라졌기 때문에 멀어진 것으로 생각했다.

시기는 저마다 달랐지만 나와 친구들은 대학을 졸업하고 사회인이 되었다. 바쁜 현생에 이따금 메신저로 안부를 묻거나 어쩌다 만남이 성사되기라도 하면 그렇게 반가울 수 없다. 학생 때와 확연히 달라진 일상을 공유하면서 진심으로 상대를 응원하기도 했고, 나의 삶을 비교 저울질하기도 했던 양가적인 감정은 그 시절의 미성숙함일 것이다.

[연애]에 대한 화두는 세대와 인종, 문화권에 따라 부차적인 고민은 달랐지만, 최종 목적지가 [결혼]임에 대다수의 독신이 동의했

다. 대체로 여성들이 먼저 경사를 전해왔고 하나둘씩 짝을 만나 가정을 이루기 시작했다.

결혼 전과 후에 만나는 친구들의 모습에서 나는 어딘가 달라졌다고 지각(知覺)한다. 우리의 관계에 변화가 생긴 것은 아니지만 어딘가 투명한 막이 생긴 듯한 느낌이다. '같은 여성'으로서 공감대가 높은 친구들과의 대화는 묘하게 어긋나는 지점이 발생한다. 특히 출산을 기점으로 섭섭하리만큼 '다른 여성'의 삶을 살고 있음을 체감한다.

"가정을 이뤄야 진짜 어른이 된다"라는 말은 법령에서 규정하는 성인(成人)이 되는 것과는 분명 다른 차원이다. 고려하고 해결해야 하는 입장의 차이가 달라져 있음을 목격하게 된다.

공과 사의 삶에서 치열했던 독신의 생활을 공유해온 그들 앞에 나의 고민은 사뭇 고독해진다.

여행 이야기는 사치스러운 농담으로 기약이 없다. 어눌한 공감과 자못 겉도는 대화가 오가고 나면 다음번 만남까지의 공백 기간은 길어진다. 아기가 생겨 출산하면 만남은 더욱 어렵다.

누군가의 부인 혹은 남편에서 엄마 또는 아빠가 되는 과정을 여러 해 지켜보며 결혼과 출산을 겪는 상황이 비슷한 동류 집단으로 친교가 옮겨지는 것은 지극히 자연스러운 현상임을 인정해 갔다. 나 역시 해마다 어울리는 무리에 변화가 생긴다. 새로운 취향과 달라진 환경이 가져다주는 그 해의 인연이자 혜택이다.

혼인으로 인한 어색함으로 사이가 멀어진 것 같은 '느낌'은 치기 어린 분별심이었음을 알아간다.

내가 '물들지 않는다'라고 생각하는 것은 서로 다른 경험과 관심사의 기호(嗜好)를 진심으로 존중하지 못했던 무지의 소치인 게 아닐까. 어른이 된 그들의 성숙한 배려로 미혼과 기혼 사이의 간격이 한결 편안해졌는지도 모른다. 기혼자의 입장에서도 뭔가 다른 '느낌'이 불편했을 순간이 있었을 테다.

스무 살의 Y가 떠올랐다. "○○댁(宅)" 별명을 지어주곤 미혼의 친구들은 보이지 않는 선을 그었다. 지금은 마음을 열고 들을 수 있는 기혼녀의 고민을 그때는 들어주지 못했다. 그녀의 든든한 대나무 숲이 되어 주지도 못했다. 이제 갓 성인이 되어 시작하는 여대생의 풋풋한 연애 이야기가 설렐 때 Y의 생활은 다른 세상에서 들려오는 자극적인 가십이 될 뿐이었다.

그녀가 다가오지 못했을 불편함은 무엇이었을까? 그녀 식의 화법과 표현으로 사이의 간격을 좁히려 시도했던 것일지 모르겠다. 드물었지만 한 번씩 연락해 주던 Y가 궁금하고 그리워진다.

미혼과 기혼의 사이. 내가 독신의 삶을 사는 동안 닿을 듯 닿지 않을 평행 사이일 것이다.

겉치레

　　미세먼지의 농도가 심한 날이면 한쪽 면이 파란색 방진 필터로 된, 흔히 치과에서 볼 수 있는 의료용 마스크를 착용했다. (팬데믹 전) 당시에는 마스크를 쓰는 사람이 드물어서 오며 가며 사람들의 눈길을 받기도 했다. 나는 마스크의 새파란 색깔이 보이는 게 '부끄럽다'라는 생각이 들어 살갗이 닿는 쪽으로 뒤집어 사용했다.

　　이상함을 감지했을 때는 입술 주변이 희미한 푸른빛이 보였을 때였다. 양쪽 볼 위로는 정상인데 하관은 다른 피부색과 달리 얼룩덜룩한 게 건선처럼 하얗게 각질이 생기기 시작했고, 오돌토돌 붉은 발진이 올라왔다. 따갑고 간지러웠다.

　　얼굴을 비추는 직군에 종사했기에 매일 화장을 하고 출근했다. 피부 트러블을 가리기 위해 커버력 좋다는 것에서부터 자연 유래 성분으로 만든 순한 것 등 해외 배송을 가리지 않고, 이것저것 구매하며 흠을 가리고자 애를 썼다. 화장은 점점 두꺼워지고 피부는 갈수록 예민해졌다. 출퇴근에만 잠시 쓰던 마스크를 실내에서도 벗지 않았다. 동료들과 함께 밥 먹는 점심시간이 불편해서 따로 시간을 보내기도 했다.

몇몇 피부과에서 자가면역질환의 일종이란 염증 진단을 받고 약도 먹었지만, 차도가 없었다. 각종 미용 시술을 권할 뿐 그들로서도 별다른 방도가 없는 듯했다. 지푸라기라도 잡는 심정이 되어 나는 피부 트러블이 심해지면 방문했던 문제성 피부 회복 전문 관리실을 찾아갔다.

"못 보던 사이에 스머프가 되어 왔네?"

독보적인 재생 전문 관리로 업계에서 인정받는 원장님이었다. 몇 십 년 임상 경력을 가진 분에게도 손상된 나의 피부를 재생시키는 일은 일종의 도전으로 보였다. 매주 한 번 이상, 누워있는 2시간 동안 내가 할 수 있는 일이라곤 잠을 자거나 생각하는 일이었다. 꽤 오랜 기간과 값비싼 치료에도 포기하지 않은 스스로와 최선을 다해주신 원장의 노력 덕분에 피부는 마스크로 가리지 않아도 될 정도로 호전되었다.

이후로 크고 작은 피부 화상과 스트레스로 인한 면역 반응을 겪으며 나에게는 만성 피부염이 생겼다. 특정한 조건에서 손가락 끝, 발가락 끝에서도 염증 반응이 일어난다. 반복되는 현상에서 예방할 방법을 학습했다. 피부가 건조하면 안 되기에 물을 자주 마신다. 세안제와 기초화장품은 주요 성분을 확인 후 사용하고 수분 보습제를 듬뿍 발라준다. 되도록 실내에서 히터와 에어컨은 켜지 않으려 한다.

직접 임상을 거쳐 알게 된 식이요법도 생겼다. 튀김류나 초콜렛 그리고 빵의 섭취를 자제한다. 밥보다 빵을 찾는 빵순이지만 몇 개월간 입에도 대지 않았고, 1년 넘게 라면과 치킨을 삼갔다. 체지방을 크게 줄이진 못했지만, 심혈관 관리는 하는 셈이다.

영증과 치료가 반복되는 동안 나는 겸손과 겸양의 미덕을 익혔다. 망각했던 과거를 톺아보며 나의 행동을 재해석했다.

피부가 하얗고 깨끗했던 대학 시절의 나는, 학교 기숙사에서 만나 친해진 학우의 피부 트러블로 인한 마음고생을 몰라서, 함부로 조언했다. 미용에 들이는 돈이 한 번에 적게는 몇십만 원에서부터 몇백만 원 이상이기에 학생이었던 그때 그녀의 고민은 얼마나 부담이었을까. 계산하는 값어치의 치료로 기대한 결과에 안도할 수 있을까? 하는 의구심이 마음을 짓눌렀을 테다. 작은 화장품 하나 챙겨주지는 못할망정 '위한다며' 내뱉는 세 치 혀가 그녀에게 비수가 되었을 것이다.

10년이 지나 내 피부가 망가지니 타인의 숱한 첨언이 상처가 됨을 알았다. 얼굴에 영증이 비칠 때마다 과거의 과오들이 겹쳐 보였다.

나는 누군가에게 아픔이 될 수 있는 소리를 했다. 상대에 대한 배려가 부족했다. 지금에서야 보이지 않는 질환을 겪는 사람에게 공감하게 되었다. 기저의 〈보이는 것〉에 대한 왜곡된 잣대와 내면의 혐오 감정을 인식했다. 사회에 만연한 외모 지상주의를 비난하면서도 타인에게 보이는 나의 모습을 상당히 신경 썼다. 위선적인 모순을 인정한 지금에도 어느 순간, 욕망이 견고하게 쌓여 있다. 나의 염증은 그것을 쉽게 무너뜨린다. 욕심이 과해지면 어김없이 모습을 드러내는 자국들은 슬픔을 동반한다. 나는 어리석음을 자책하며 다시 오만한 겉치레의 영역을 잘라낸다.

볕이 좋은 날엔

눈이 아직 녹지 않은 길을 따라 망원동의 낯선 골목에 들어섰다. 부동산 중개인을 따라 올라간 3층 집은 현관문을 열자마자 보이는 큰 창으로 환한 빛이 새어 들어왔다. 창문을 열자 쏟아져 내린 햇살이 새하얀 벽에 반사되어 눈이 부시도록 방 안을 밝혔다. 바깥의 차가운 공기가 내게 봄바람처럼 불어 들어왔다.

이틀 뒤 2024년이면 "우리 집"이라 부를 수 있게 된 지가 어느덧 8년 차가 된다. 이곳에서 나와 동생은 안정적으로 서울살이를 할 수 있었다. 따로 또 같이, 각자의 20대를 보내고 30대를 맞으며 새롭고 다양한 시도로 인생 곡선의 굴곡을 만들었다.

임대인과 언성 한번 없이 우직하게 공간을 지키는 동안 동네의 모습도 많은 변화를 겪었다. 주변의 낮은 주택 집은 매년 하나둘씩 허물어지고 고층 건물들이 차례차례 생겨나면서 맞은편 건물 외벽에 햇빛이 굴절되어 창에 비쳤다. 이제는 오전 한때 잠시, 온전한 햇살을 느낄 뿐이다. 해가 길어지는 여름철엔 조금 더 누릴 수 있다.

새해를 맞이해 퇴거를 결정했다. 8년 만의 이사이다. 문득 창을 통해 들어오는 겨울 볕의 온기를 감각했다. 빛을 보자 실생(實生)

하듯 기억들이 새록새록 솟아난다.

홀로 서울에 상경해 고군분투 자취 생활을 시작하며 구직했다. 시절 인연의 단편적인 추억이 깃든 낯익은 상수동으로 이사를 했다. 인접해 있는 한강 공원 산책도 걸어서 가능했다. 여러 집을 둘러볼 겨를이 없어 초역세권이란 이유 하나만으로 서둘러 계약했고, 이사 박스 포장을 뜯기도 전에 번갯불에 콩 볶듯 잡힌 장기 해외 출장 일정으로 집을 비워야 했다. 귀국 후 처음 맞이한 주말에 짐을 정리하며 알게 되었다. 옆 건물과 맞닿아 있는 창문으로 햇빛이 거의 들어오지 않는다는 것을. 낮에 조명을 켜두어도 방 안이 어둑했다.

여동생이 대학원 입시를 준비하면서 동거가 시작되었다. 서울 지리가 낯선 동생을 데리고 이곳저곳 유랑하듯 함께 다녔다. 가까운 집 주변에서부터 멀리 홍대나 한강 공원으로 밤의 산책을 즐겼고, 동생은 내가 늦게 오는 밤이면 회사로 데리러 와주었다. 우리는 아웅다웅 자주 다퉜고 곧잘 웃었다. 영혼까지 어두워지지 않을 수 있었던 것은 그녀의 익살과 유머 때문일 것이다.

그해 여름, 새로운 회사에 이직했다. 더 저렴하고, 두 명이 지낼 수 있게 조금 더 넓은 곳으로 이동을 원했다. 무엇보다 볕이 잘 드는 곳을 소망했다. 가능한 모든 시간 발품을 팔아 찾았다. 계약 종료일을 고작 며칠 남겨둔 시점에 기적처럼 거주자가 없는 깨끗한 공간을 만났다. 지하철역에서 훨씬 멀어졌지만, 동생이 원했던 한강 공원과 더 가까워졌다. 장거리 통학과 통근은 단점이었으나 덕분에 나는 좀 더 부지런해졌다.

진지하게 이직을 고려할 만큼 편도 2시간 거리의 먼 지역으로 출근해야 할 때도 있었다. 별안간에 회사 초유의 사옥 이전으로 20분도 채 걸리지 않게 되자 따릉이(서울시 공유 자전거)를 타고 한강변 자전거길을 따라 낭만적인 퇴근길이 만들어졌다. 2년 동안 동생의 통학도 고된 일이었지만 그녀의 첫 직장 출근은 가까웠다. 사람 일이란 정말 모를 일이었다.

동네 가게 사장님들과 얼굴을 익히고 오랜만에 들리기라도 하면 안부도 묻는다. 사적인 인간관계와 은밀한 취미생활도 집 근처 걸어서 다니는 지근거리에 있다. 좋은 사람들을 많이 만났고 함께 어울리며 다양성을 체험했다. 열심히 일하며 나도, 부서도 같이 성장했다. 그럴싸한 직장을 관두고 버킷 리스트였던 해외 도보 여행을 훌쩍 떠났다. 영성에 심취해 마음공부에 몰입했다.

20대 때 목표했던 꿈의 직장으로 이직에 성공했다. 지난 10년간 3번의 도전을 한 셈이었다. 비록 생활이 전보다 소박해졌지만 즐거웠다. COVID-19 팬데믹이 시작되면서 집에서 보내는 시간이 많아졌다. 직장 내 인간 군상들 속에서 가까웠던 사람으로 인한 고통을 경험했다. 한 사람에서 시작된 오해가 집단으로 불이 붙어 그 속에서 재가 되어버릴 뻔했다. 무서웠지만 버텨야 했다. 위로해주는 타인의 다정함으로 상처는 치유될 수 있었다.

　　나의 무게를 넘어서는 기억과 감정들이 이 공간에 스며들어 있다.

　　볕이 좋은 날엔 지난밤의 온기가 남아 있는 이불 속에 누워 한낮의 창을 바라보곤 했다. 빛 멍을 하거나 졸리지 않은데도 일부러 낮잠에 빠지는 망중한을 즐겼다. 밤에 자는 잠이 하루 동안 소비한 인간의 에너지를 회복하기 위해서라면, 한낮에 스르륵 드는 잠은 영혼의 회복을 위해서일까? 이 집을 비추는 겨울 볕이 따스하다.

에필로그

　얼기설기 얽혀있던 인생의 사건들을 어른 봉숭아의 시선으로 기록해 보고 싶었다. 조망하듯 담담하게 시간여행을 하면서도 치열한 자기 검열과 반성 속에서 지금의 감정을 담았다.

　까마득한 기억 속 소녀 봉숭아와도 조우했다. 그녀가 남긴 질문은 어쩌면 우연히 발견한 것이 아니라 때마침 내게 찾아와 물은 것일지도 모른다. 기억 속에 오래 머물러 있었다.

　자극과 반응 사이에서 섬세하게 골라낸 가능성은 오롯한 나로서 흔들리며 피어났다. 나다운 모습으로 살기 위해 의미와 무의미를 저울질했던 무수한 머뭇거림도 한결 다정해졌다.